本书作者夏洛特·科顿是策展人、作家。她曾担任美国洛杉矶州立博物馆瓦里斯·安嫩伯格摄影部主管，英国伦敦摄影家艺术馆的项目负责人，英国国立媒体博物馆创意总监，伦敦维多利亚和阿尔伯特博物馆摄影策展人。她策划了许多当代摄影展，出版了《缺憾之美》《万物归于平静》《盖伊·伯尔丁》等书。她也是 wordswithoutpictures.org 和 EitherAnd.org 这两个网站的创始人。

“艺术世界丛书”版权引自英国 Thames & Hudson 出版社

“艺术世界丛书”是著名的插图本世界艺术系列丛书，几乎囊括了世界艺术的所有种类。

图1　莎拉·琼斯，《卧室（1）》，2002。（参见69页）

(英）夏洛特·科顿 著
陆汉臻 毛卫东 黄 月 译

作为当代艺术的照片

249 张插图，其中 212 张彩色插图

（第三版）

浙江摄影出版社

献给伊西和我的父母

感谢为本书贡献图片、资料和观点的所有摄影师和美术馆。感谢安德烈·布朗（Andrew Brown）、梅拉尼·莱恩茨（Melanie Lenz）、安娜·佩罗蒂（Anna Perotti）、乔·瓦尔顿（Jo Walton），以及 Thames & Hudson 出版社的每一位员工，是他们的帮助，才使本书的第一版得以问世。特别感谢杰克·克莱因（Jacky Klein）、弗洛拉·斯派格尔（Flora Spiegel）、戴安娜·布里特·佩里（Diana Bullitt Perry）、乔·瓦尔顿（Jo Walton）、尼克·贾金斯（Nick Jakins）和拉法埃拉·莫里尼（Raffaella Morini），他们为本书第二版和第三版的问世提供了帮助和建议。

目　录

前 言

摄影技术最初发明于1830年代，差不多两个世纪之后，摄影已发展成为一种当代艺术形式。在21世纪，艺术界已完全将摄影视为一种正统媒介，与绘画和雕塑享有同等地位；摄影家们不断在美术馆展出作品，或在艺术专著中以插图的形式展示作品。这是一段令人激动的发展史。为此，本书计划对作为当代艺术的摄影作一概述和综览，目的是界定这一讨论议题，并分析它的各种特点和主题。

如果本书可以用一句话总括当代摄影，这句话就是，当代摄影这一创意领域多元多派，精彩纷呈。本书精选了近250位摄影家的作品，以插图的形式向读者展现当代摄影的题材之广泛、思想之深邃。其中虽然展示了为数不多的永久稳居当代艺术殿堂之上的著名摄影大师的作品，但本书特意要展现的，却是当代艺术摄影从形式到内容的多样性本质，很多独立摄影师为此做出了无数努力，而他们中的大多数人，除了在自己的小小创作圈，皆寂寂无名。书中的每一位摄影师都致力于创作文化作品，并为其思想的传播做出自己的一份贡献。按最基本的字面来解释，此话的意思是说，本书提到的所有摄影师之所以辛苦创作，其目的就是为了在美术馆和艺术书籍中展示作品。读者必须注意的是，对于书中的

图2　丹尼尔·戈顿，《银莲花与鳄梨》，2012。（参见252页）

大部分摄影师，我们只能从其全部作品中选取一件代表作来讨论。当然，这样做就无法全面展现该摄影师的艺术表达，从而无法展示摄影创作的多样可能性，但本书必须做这样的简化处理。

在今天仍从事创作的当代艺术摄影师中，大多数接受过艺术本科和研究生教育，而且像其他美术家一样，他们主要为艺术观众进行创作，他们得到了来自各国的众多商业的或非营利的美术馆、博物馆、出版社、艺术节、博览会和双年展的支持。在 21 世纪，随着为当代艺术摄影服务的专业机构如此这般地增加，现在关键的问题成了如何巩固和界定当代艺术摄影这一领域，而不是对此进行概念上的反思——这一点是不足为奇的。在新千年里，这样一个观念——摄影是当代艺术活动可以预期的、必不可少的一部分——已经大大深化。但是，对当代艺术摄影产生不良影响的，却是越来越多的更广泛意义上的影像制作问题。这些问题包括：我们在日常生活、社交媒体和照片分享平台中使用纯影像交流的方式；21 世纪初，随着数字出版技术革命的出现，业余摄影师有了自我出版摄影集的机会；新闻报道中市民摄影的兴起——尤其是在线发表；能够融合动静图像捕捉的新照相技术的出现；在数据可视化方面计算机编码技术的演化和应用。影像制作方面的这些新现象，不仅对视觉语言、对当代艺术摄影的传播模式产生了影响，而且因为摄影在日常生活中无处不在、无孔不入，迫使我们在界定艺术摄影活动时变得更为明确无误。在这一情况下，有一点变得尤为明显：当代艺术摄影的发展动力来自当代艺术摄影师的严谨而积极的选择，在不断变化着的、更为广阔的摄影世界中，他们的作品依然保持着一种艺术形式的鲜活的对话本质。

本书按章节将当代艺术摄影划分为八大类型或主题。如此分类的目的，是为了避免读者得到这样一种看法：最终决定当代艺术摄影重要特征的，不是影像风格，就是题材选择。当然，本书安排某些作品，是出于影像风格上的考虑，有些题材在近年的摄影创作中也相当流行，但是各章节主题的划分，更多关注的是如何将那些在创作动机和创作方法上有共同之处的摄影师放在一起。如此安排的目的在于，首先突出当代艺术摄影的创作理念，然后再去讨论这些作品的视觉效果。

第一章“如果这是艺术”，考察了摄影师是如何专门为相机设计策略、行为和事件的。将这部分放在本书开头，是为了挑战摄影的传统做法：摄影师孤身一人在日常生活中苦苦搜寻，搜寻具有视觉冲击力或视觉趣味的画面出现在取景框里的那一瞬间。在这一章，我们将特别关注摄影师在多大程度上预想了那个焦点——这是他们的拍摄策略，其目的不仅要改变我们对这个自然和社会的看法，而且想把这个世界带入不同寻常的维度之中。当代摄影的这一领域部分源自 20 世纪六七十年代的概念艺术行为的纪实摄影，但两者又有显著差异。虽然出现在这一章的一些照片显现了其可能的功能：临时艺术行为的随意记录，但是，极其重要的是，这些照片注定会成为这些事件的最终结果：这是被选定和展现为艺术品的物件，而不仅仅是刚刚消逝的一个行为的记录、痕迹或副产品。

第二章“从前”，主要讨论如何利用艺术摄影讲故事。这一章的重点实际上更具体：考察当代摄影实践中非常流行的“置景”摄影：将叙事提炼为一幅影像。这种摄影作品所具有的特点与 18 至 19 世纪前摄影时代的西方具象绘画有着最直接的关系。这不是因为当代艺术摄影师具有怀旧的复兴主义情怀，而是因为，在这样的绘画作品中可以发现一种业已确立的、非常有效的构建叙事内容的方法：将物品道具、人物姿势和艺术品的风格很好地组合起来。“置景”摄影有时也被称为“构建式”或“编导式”摄影，因为摄入镜头的各种元素，甚至连精准的相机角度都预先设计好了。

第三章非常深入地考察了一种摄影审美概念。“无表情外观”指的是一种明显缺乏视觉戏剧感或夸张性的艺术摄影类型。这些影像在形式和戏剧性上都平淡无味，似乎是客观凝视的结果。在这里，最重要的是被摄对象本身，而不是摄影师对它们的看法。以插图的形式再现于这一章中的这些作品，由于尺寸缩小、印刷质量大打折扣，更显得平淡无味；

只有在令人眩目的清晰度下（所有这些照片都是用中画幅或大画幅相机拍摄），并印制成大尺幅照片，我们才能充分感受这些作品的冲击力。在第二章里，我们看到很多作品展现了戏剧化的人类行为和戏剧性的光线效果，但在第三章看不到这样的作品；相反，我们在这里看到的这些照片发出一个视觉命令，这个命令来自它们夸张的逼真度和作品的尺幅。

第三章讨论的是摄影的中立性审美问题，第四章则着重讨论摄影题材——那些最间接迂回的题材。这一章题为“物件与空无”，主要考察当代摄影师是如何开疆拓土，探索可靠的视觉题材的。近年来，将我们通常会无视或忽略的物件和空间摄入镜头，这已经成为一种趋势。这一章展示的照片依然保持着照片所描绘的东西的“物性”（thingness）——比如街头的垃圾、废弃的房屋或未洗的脏衣服，但在概念上它们被改变了，因为这些东西通过被拍下并呈现为艺术品这样的行为而获得了视觉力量。就此而言，当代艺术家已经认定，通过一种敏感的、主观的视角，现实世界中的一切事物都是潜在的题材。这一章的一个重要观点是，摄影具有一种经久不衰的能力，它甚至能将最微不足道的题材转化为具有巨大想象和重大意义的事件触发器。

在第五章“私密生活”中，我们着重讨论情感和人际关系，这是关于人类私密生活的一份集体日志。一些照片明显表现出随意的、业余的风格，很多照片类似傻瓜相机拍摄的家庭快照，还带有机器冲印的照片常有的令人熟悉的色调。这一章也讨论当代摄影师为这种民间摄影风格带来了何种新东西，比如，他们构建了富有动感的系列照片，他们关注日常生活中出人意料的瞬间，关注普通人无法捕捉到的、不同寻常的事件。这一章还考察了摄影师在再现司空见惯的、但令人产生情感共鸣的题材时，是如何使用另外一些貌似不那么随意的、更深思熟虑的创作手法的。

第六章“历史瞬间”用大量篇幅讨论了摄影的纪实功能在艺术中的运用。这一章开篇讨论可以说是最具有“反新闻摄影”意味的创作手法，此手法被笼统命名为“后灾难摄影”（aftermath photography）：在社会和生态灾难发生之后，摄影师到达现场进行拍摄。通过如实再现这些地方的满目疮痍，当代艺术摄影呈现了有关政治的和个体的剧变所造成的后果的寓言。这一章还调查了一些视觉记录，这些视觉记录反映的是一些在不少艺术书籍和美术馆展示过的被隔离的社区（包括被地理隔绝和社会排斥的社区)。细致入微的纪实照片本该在报刊杂志的社论版发表，当这类纪实项目所能得到的支持日渐匮乏之时，美术馆就成了展示这种人类生活记录的地方。这一章还涉及这样一类作品，它们的题材选择或拍摄手法对抗或挑衅了我们对纪实摄影传统边界的认知。

第七章“重生与再造”，探讨了近年来的一系列摄影实践，这些实践以我们现有的影像知识为中心而展开，并充分利用这些知识，比如，重拍著名照片、戏仿拍摄某些非专利图像，比如杂志广告图片、电影剧照、监控和科学照片。通过识别这些熟悉的图像，我们开始意识到自己在看什么，如何观看，以及图像如何触发了我们的情绪，塑造了我们对世界的认识。这一章直截了当地讨论了针对原创性、作者身份和摄影真实性的含蓄批评，这是摄影的永久话题，在过去四十年中，这话题变得尤为重要。这一章还考察了摄影师的其他实践：复兴古老的摄影技巧，为老照片建立档案。这些做法有助于我们更好地理解摄影的历史和文化，同时也能丰富我们对于当代观看方式和历史观看方式之间的相似性和连贯性的认识。

最后一章第八章“物理与材质”重点讨论这样一种摄影：摄影的本质成为作品的叙事的一部分。如今，在人们的日常生活和交流中，数码摄影无处不在，正由于这一点，不少当代艺术摄影师反其道而行之，有意突出摄影的物理性和材料性，有意突出他们在美术馆和博物馆这样纯粹的空间展出照片的效果。其他艺术家则以丰富的想象力，对数字时代激增的摄影传播模式做出回应。这一章所展示的照片提醒读者关注这样一个事实：摄影师在创作艺术品时面临许多选择。一些摄影师主要选择模拟技术（即，古老的基于胶片的、感光的化学工艺），而不是现在标准化的数字影像捕捉和后期制作技术，而其他摄影师只把摄影当作创作活动的一个元素，比如，装置和雕塑作品的一部分。这一章结尾部分考察了当代艺术摄影师创作影像的新方法，这些影像是专为在互联网平台和手持屏幕上观看而创作的，而他们的其他摄影艺术作品则完全以美术馆展出为目的。有些摄影师也在利用数字化革命带来的越来越多的自我出版机会。这些多才多艺的摄影师体现了当代艺术摄影方兴未艾的创造力。

21 世纪，作为当代艺术的摄影深受艺术市场的迅猛发展、数字技术冲击图像制作和传播的强烈影响。但同时，当代艺术摄影师也从 19 和 20 世纪的摄影史中汲取灵感，不断将摄影史作为创作的想象性动力，特别是 20 世纪初欧洲前卫摄影的实验主义和 1970 年代中期美国摄影师重新激活的“日常摄影”(photography of the everyday)，极大促进了他们的艺术摄影创作。

图 3　威廉 · 埃格斯顿，《无题》，1970。
威廉 · 埃格斯顿被公认为对当代艺术摄影产生了至关重要的影响，尤其因为他早在 1960 和 1970 年代就确认了彩色摄影。他被视为“摄影师的摄影师”。他不断地在各国出版书籍，举办影展。在过去 30 年中，在当代艺术摄影日新月异的变化中，他的全部才华被不断地重新评估。

彩色摄影——而不是黑白摄影——主导了1990年代中期以来的当代艺术摄影表达。但是，直到1970年代，那些运用生动色彩的艺术摄影师才得到批评界小小的支持，而在那之前，彩色摄影一直是商业摄影和民间摄影的领地，彩色摄影到1990年代才成为标准的创作手法。在为这一转变做出贡献的诸多20世纪摄影师中，最突出的是美国人威廉·埃格斯顿（William Eggleston，1939— ）和斯蒂芬·肖尔（Stephen Shore，1947— ）。1960年代中期，埃格斯顿开始创作彩色照片，到1960年代末，他开始用彩色透明胶片（彩色反转片）进行创作，这种胶片当时普遍用于拍摄家庭假日照片、广告和杂志图像。当时彩色只用于普通摄影，他的这一做法，使他被拒于规范明确的艺术摄影的大门之外。不过，他拍摄于1969年至1971年间的部分照片，1976年在美国现代艺术博物馆（MoMA）展出，这是主要用彩色摄影进行创作的摄影师的史上首次个展［3］。说一次影展（即使在美国现代艺术博物馆）就单枪匹马地改变艺术摄影的方向，不免有些夸大其词，但埃格斯顿的这次影展早早地、恰逢其时地展现了彩色摄影创作的巨大力量。

1971年，肖尔在德克萨斯的阿马里洛（Amarillo）拍摄重要建筑和公共场所。为了彰显他对阿马里洛这座典型美国小镇的精妙刻画，肖尔把照片印制成5600张普通明信片。明信片没有卖出多少。他到处旅行，每到一处，他便把明信片放到当地现有的明信片货架上（他的一些朋友和熟人发现了明信片，又写信寄回给他）。1972年，依然痴迷并不断模仿摄影的日常风格和作用的肖尔，展出了220幅用35毫米傻瓜相机拍摄的以网格形式展示的照片，内容为随手拍摄的偶发事件和普通物件［4］。直到肖尔的摄影集《美国表象》（*American Surfaces*）于1999年出版，他用彩色摄影进行的艺术探索才广为人知，并对下一代当代艺术摄影师产生了巨大影响。

埃格斯顿和肖尔的最大贡献在于，他们开辟了艺术摄影的新空间，使影像创作的手法更加自由。年轻艺术家们追随着他们的脚步，其中有

图 4　斯蒂芬 · 肖尔，《无题（28a）》，1972。

美国摄影师艾里克 · 索斯（Alec Soth，1969— ）[5]。索斯沿密西西比河旅行途中创作的系列作品，记录了沿途所见的人物和地点，显然师承埃格斯顿。(在探索美国南方的途中，索斯拜访了埃格斯顿。) 索斯的照片中也包含了第三章所讨论的“无表情外观”摄影的审美元素，以及整个 19 世纪和 20 世纪初期的肖像摄影传统，这表明当代艺术摄影从艺术的和民间的种种传统中汲取养分，并加以改造革新。

威廉 · 詹金斯（William Jenkins）策划并于 1975 年首次在纽约罗切斯特的乔治 · 伊士曼中心展出的《新地形：人为改变的风景的照片》(*New Topographics: Photographs of a man-altered Landscape*)，至今仍被公认为是对 20 世纪晚期部分最重要、最有影响力的摄影作品所做的一次早期综述。展览包括了德国夫妇伯纳德 · 贝歇（Bernd Becher，1931—2007）和希拉 · 贝歇（Hilla Becher，1934—2015）[6] 的作品，他们自 1950 年代中期开始就一起创作。他们以网格形式编排的质朴的黑白照片，特别是那些描绘储气罐、水塔和鼓风炉等美国建筑的照片，对解决当代

图 5　艾里克·索斯，《苏加尔家，爱荷华州达文波特》，2002。
艾里克·索斯的创作跨越了风景照、肖像照和静物照这几种影像类型。在创作中，他采取了近年流行的中立审美立场，同时指涉（特别是在这幅褪色的房间内饰的照片中）1970 年代以来在艺术摄影中使用色彩的传统。

艺术摄影的审美和概念处理问题提供了很大的帮助。贝歇夫妇的黑白图像看起来似乎同埃格斯顿和肖尔的彩色作品形成了鲜明对比（肖尔的作品最初也在“新地形”展出），但其实它们之间也有重要的关联：与埃格斯顿和肖尔一样，贝歇夫妇在把民间摄影风格转化为娴熟的艺术策略这一过程中发挥了重要作用，这一转化的目的是，使艺术摄影充满与历史和日常生活的视觉联系。他们的照片发挥了双重功能：一方面，这是对历史建筑的平实记录；另一方面，他们平实而系统地记录建筑物的做法令人想起分类学在 1960 和 1970 年代概念艺术中的运用。贝歇夫妇

图 6　贝歇夫妇，《十二座水塔》，1978—1985。
通过对本土建筑坚持不懈的记录，以及对几位当今最杰出的艺术摄影家的培养，贝歇夫妇对当代的摄影理念和实践产生了深远影响。他们的建筑类型学作品通常以较小的尺幅和网格形式展出，强调了他们所再现的建筑类型的多样性与特殊性。

图 7　刘易斯 · 巴尔茨，《欧文市麦克高 2424 号沃尔拉斯西南墙面》，选自《加州欧文的新工业园区》，1974。

还发挥了作为杜塞尔多夫艺术学院的教师的重要作用，他们的学生包括了未来重要的摄影家，如安德烈 · 古斯基（Andreas Gursky）、托马斯 · 施特鲁斯(Thomas Struth)、托马斯 · 迪曼德(Thomas Demand)和坎迪德 · 霍弗尔（Candida Höfer），这些人的作品可以在本书后面看到。

“新地形”影展汇集了一大批代表不同观念、技术和形式处理方法的作品，这些观点、技术和形式处理方法在开创于 1970 年代的当代风光摄影创作中相互较量，一争高下。在所有参展的作品中，刘易斯 · 巴尔茨（Lewis Baltz）的照片也许是最具嘲讽性和两重性的。他拍摄了加州欧文地区不断扩张的工业园区，展现了被破坏殆尽的加州风景［7］。巴尔茨使用 35 毫米相机，娴熟地创作了一系列作品，平实地展现了用预制件组装而成的、毫无特色的工业建筑，有意让人想起 1970 年代初期极简主义雕塑和绘画简约的形式主义老调。罗伯特 · 亚当斯（Robert Adams，1937—　）的作品令人产生类似的共鸣。经过精细观察，他捕捉到了这样的画面：千篇一律的住宅区、大型购物中心和轻工业不断扩展，

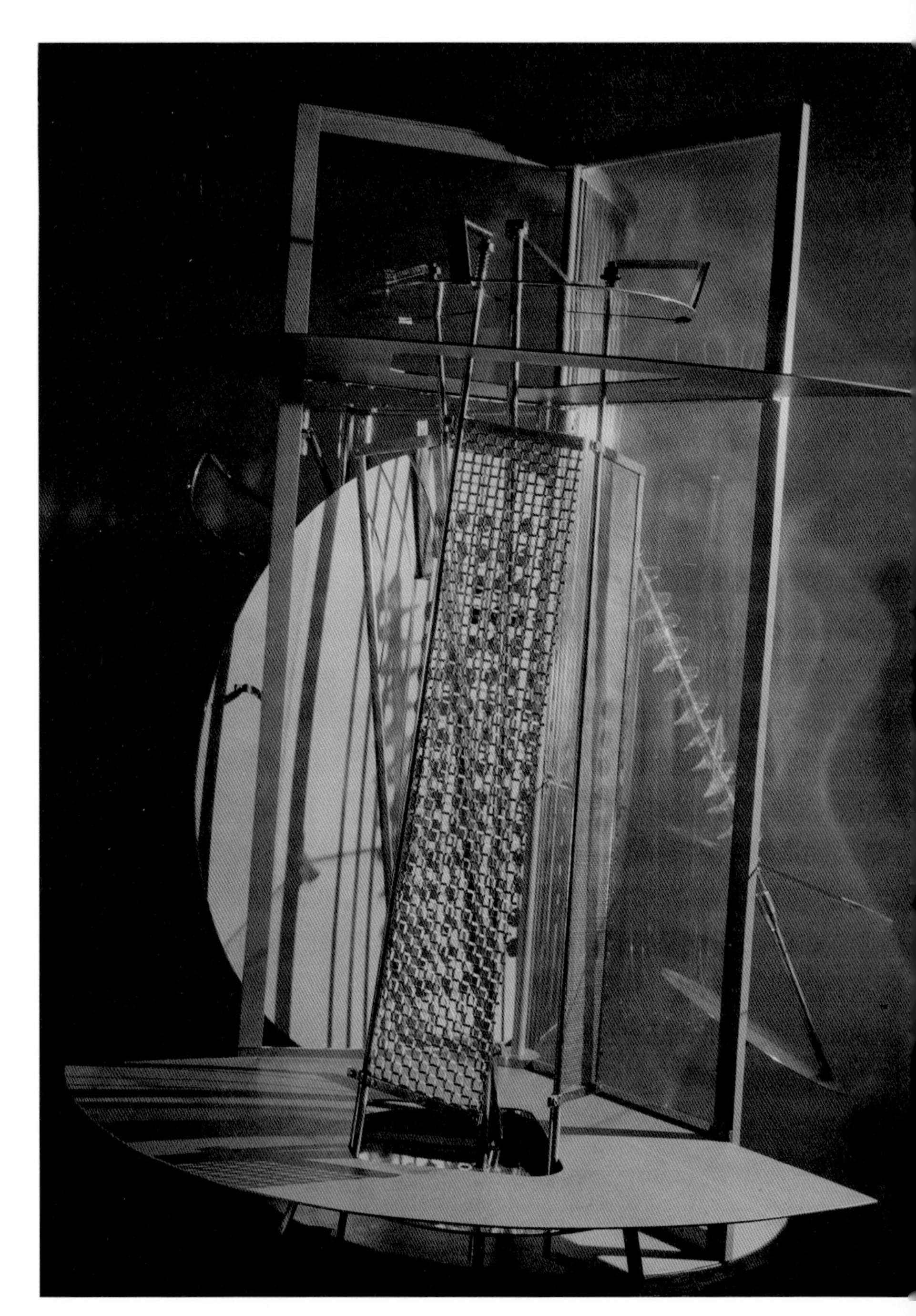

图 8　拉兹洛·莫霍利-纳吉，《光的游戏：黑 / 白 / 灰》，约 1926。

不断蚕食着科罗拉多伟大的自然风光，而这伟大的风光曾孕育了美国西部伟大的史诗。他的作品也反映了战后资本主义的影响。

上面提到的这些摄影师中的大多数直至最近才被纳入 20 世纪晚期的摄影正典之中，这是因为他们的作品通过新的出版物和影展为更多人所知，也是艺术界对摄影进行不断重新评估的结果。 21 世纪也是对摄影的别样历史进行重估的时代。比如，对南半球摄影实践进行地理调查，对 19 至 20 世纪佚名的和民间的摄影进行想象性的呈现，这些能不断帮助我们更全面地认识摄影的历史丰富性。

艺术史对今天的当代艺术摄影的影响，也反映了当前整个当代艺术界对 20 世纪初前卫艺术实践的极大兴趣，而正是这前卫艺术实践推动了这样一种趋势：重估现代派艺术的语言和雄心。对前卫艺术实验的这种浓厚兴趣，使拉兹洛·莫霍利–纳吉（László Moholy-Nagy，1895—1946）成了一位非常重要的人物。莫霍利–纳吉秉承欧洲艺术运动——比如达达主义和俄罗斯的构成主义——的精神，进行绘画、雕塑、电影、设计和实验摄影等方面的艺术创作，体现了与德国包豪斯学院紧密相连的多元化创作实践。在当代艺术摄影家最频繁引用的作品当中，就有莫霍利–纳吉的黑白暗房摄影实验作品和他在 1930 年代制作的可移动装置。在那些摄影实验作品中，他创造了并非模仿人类光学视角的景象；他的可移动装置生成了动态的光影图案，他去世后这个装置被命名为“光空间调节器”(Light-Space Modulator)［8］。莫霍利–纳吉利用摄影抽象和光抽象创作而成的作品，成为 20 世纪极为丰富的抽象摄影作品和抽象艺术作品（摄影与雕塑融合而成）的先声（参见第八章）。

达达主义运动的创立者马塞尔·杜尚（Marcel Duchamp，1887—1968）对现代和当代艺术的影响，在 21 世纪仍然普遍存在。他与阿尔弗雷德·施蒂格利茨（Alfred Stieglitz，1864—1946）和曼·雷（Man Ray，1890—1976）［9］等摄影家的合作，在当代艺术摄影领域仍有强烈反响。从本质上讲，杜尚及其合作者把摄影当作产生视觉刺激，自动

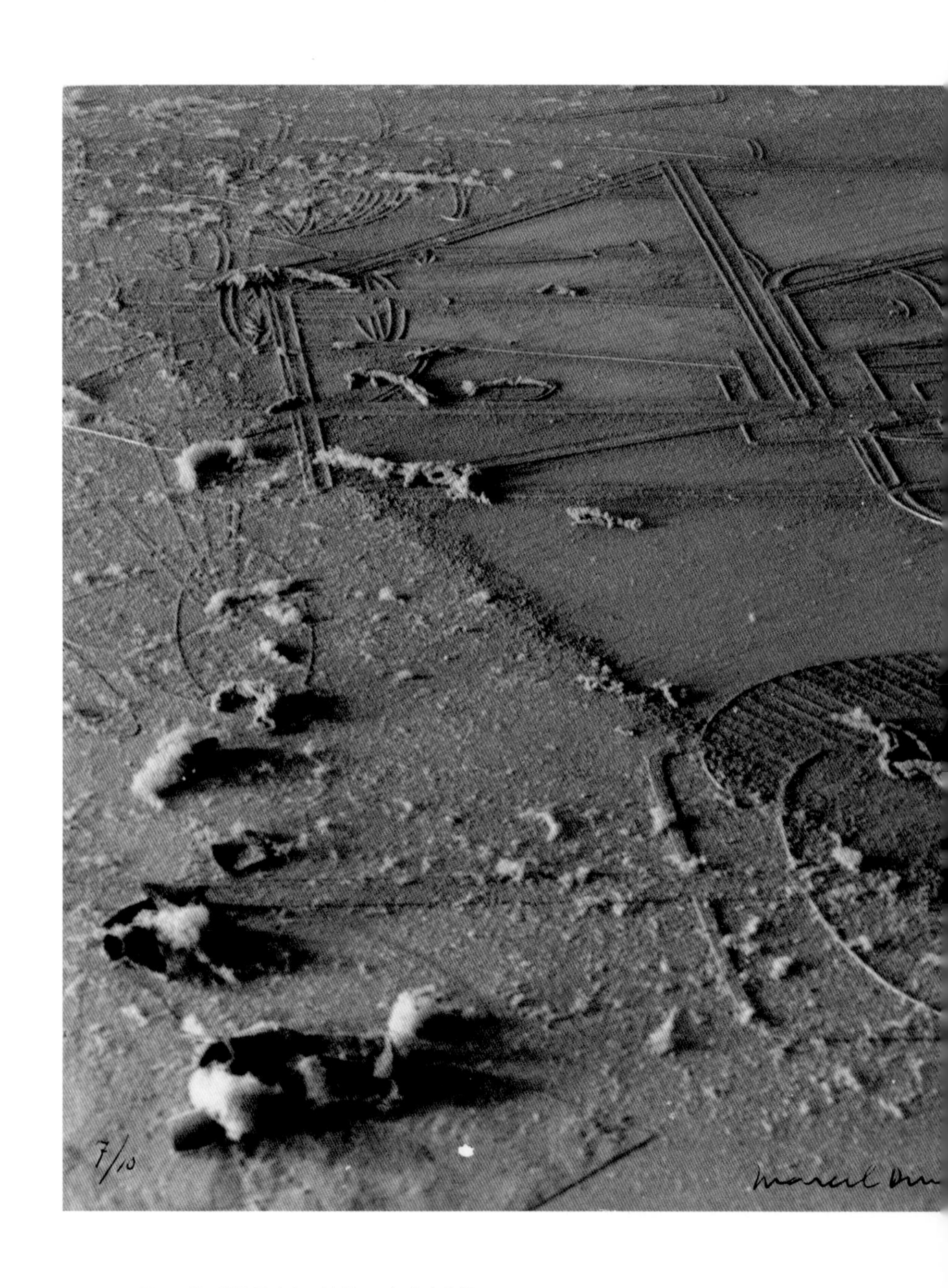

图 9　曼·雷和马塞尔·杜尚，《灰尘在繁衍》，1920。

赋予被摄对象以艺术意义的一种手段。在这一情况下，摄影更多地起到了类似杜尚式现成品的作用：它创造了一种默认的、人造的物件，这种物件直接从日常生活借用而来。在摄影——作为概念上有效的当代艺术媒介——被世人毫无疑义地接受的这个历史时刻，人们对早期摄影作品——那时的摄影还是自由简约的艺术手段——重新产生兴趣，也许就不足为怪了。

虽然对摄影史的拓展和反思仍继续影响着当代艺术摄影，但是，在 21 世纪的第二个十年，我们进入了这一艺术实践领域的新时代，信心十足，敢想敢为。这与 20 世纪末的情形完全不同，那时摄影正忙于证明自己是一种被广泛认可的独立艺术形式，理由是摄影在风格和批评方面与传统艺术形式相一致，尤其与绘画相一致。今天，既然摄影作为当代艺术的身份已成为不争的事实，当代艺术摄影的发展新契机就要来到。

图 10　菲利普–卢卡 · 迪科西亚，《头像 #7》，2000。（参见 52 页）
迪科西亚的《头像》系列是利用安装在纽约一条繁忙街道的工地脚手架上的闪光灯拍摄的。这架闪光灯不为下边路人所见。路人一走动，就会触发闪光灯，路人就被照亮，这时，迪科西亚用长镜头拍下这一瞬间。由于被摄者不知道自己正被拍摄，所以也就不会为了这张“肖像照”摆出姿势。

第一章　如果这是艺术

本章要讨论的这几位摄影师发表了一个最充满自信的集体声明：摄影已稳居当代艺术实践的中心地位，当代艺术摄影与传统摄影师的创作手法已截然不同。在本章中，这些摄影师的所有作品都是精心设计和策划的结果：为了创作，他们精心设计了拍摄策略，精心策划了事件。仔细观察，从眼前展开的事件进程中框取一个瞬间，仍是出现在本章的许多摄影师的创作方法的一部分，但是，他们关键的艺术行为却是专门为照相机导演一个事件。也就是说，艺术创作行为早在举起相机按下快门定格画面之前就开始了：一切始于构思和计划。在本章出现的许多作品，与行为艺术和身体艺术行为一样，都展现肉体的特点，但观者可以欣赏表演，但不能亲眼目睹实际的身体艺术行为，相反，他们看到的是作为艺术作品的摄影图像。

这种创作方法起源于 1960 年代中期和 1970 年代的概念艺术，那时，摄影成为广泛传播艺术家的行为表演和其他短暂存在的艺术品的关键工具。概念艺术摄影的动机和风格，明显不同于当时艺术摄影的既有模式。概念艺术不以技艺和作者为重，不以拍出摄影名作为念，不奉重要摄影师为“大师”。概念艺术看重的是摄影所具有的不可动摇的日常描绘力，

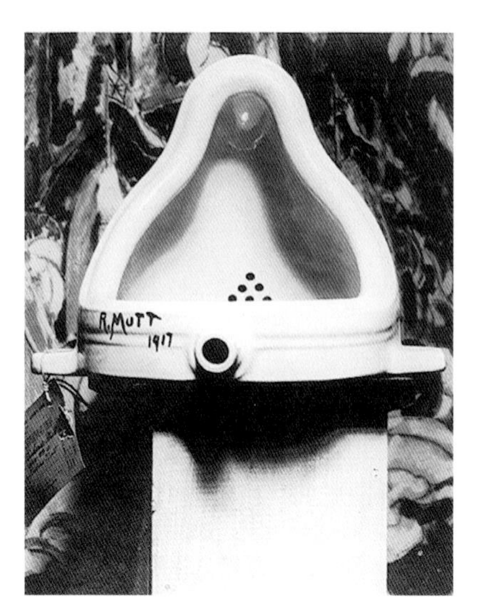

图 11 阿尔弗雷德·施蒂格利茨，《杜尚的泉，1917 年》，1917。

它想要的是独特的“非艺术”“去技能”“去作者”的形态，它强调只有照片描绘的行为才具有真正的艺术价值。概念艺术摄影常常采用 20 世纪中期的新闻摄影的风格（即兴抓拍，对突发事件随机拍摄），以赋予拍摄行为一种未经预谋的意味，使看似随手拍摄再现的思想或行为少些预先构想的成分。同时，影像认可了行为表演可能采取的自发形式。概念艺术摄影常常成为传达稍纵即逝的艺术观念或行为的工具，成为画廊和艺术书刊中的艺术品的替代物。摄影可以成为艺术记录，也可以留下艺术证据，摄影的这种多功能性使其既能产生思想深度，也能产生暧昧意义，而当代艺术摄影则充分利用了这两面性。概念艺术照片颠覆了艺术行为的传统标准，同时也展现了一种更通俗的艺术创作模式。可以看到，艺术成了为普通和日常事物授权的一个过程，而摄影成了规避创作一幅“好”照片的工具。

20 世纪初的法国艺术家马塞尔·杜尚（Marcel Duchamp，1887—1968）是 1960 和 1970 年代概念艺术的先驱。1917 年，这位概念艺术之父把工厂生产的一个小便池提交给纽约军械库艺术博览会（Armory Show）[11]，理由是，只要艺术家认定，一切皆为艺术。杜尚在这件作品上付出的劳动极少：他只是把垂直使用的小便池改为水平摆放，然后签上了一个虚构的名字“R. 穆特，1917 年”，这是一个双关语：暗指小便池制造商（Mott）和畅销的连漫漫画《穆特和杰夫》（*Mutt and Jeff*）。今天，这件名为《泉》（*Fountain*）的作品原件已经不存，留下的只有阿尔弗雷德·施蒂格利茨（Alfred Stieglitz，1864—1946）拍摄的照片，挂在纽约 291 画廊，他在《泉》被军械库展览评委退回后的第七天拍摄了它。

(这件雕塑作品的复制品后来大量出现，这进一步质疑了所谓艺术作品“原创性”的观点，杜尚要挑战的正是这种观点。)《泉》的原始性与藐视一切的特性在施蒂格利茨的照片中表露无遗，而照片的构图也展现了这件作品神秘的象征主义，以及它与圣母玛利亚雕像或佛陀坐像在形式上的关联。

在此引述艺术实践中这些具有历史意义的时刻，并不是为了表明，前卫艺术与摄影之间依然存在同样的动态关系，而是为了表明，摄影将自己定义为艺术这一含混不清的做法——将自己看作既是一个艺术行为的记录，又是一件艺术品——正是不少当代艺术摄影师富有想象力地加以利用的传统。法国艺术家苏菲·卡勒（Sophie Calle，1953— ）把艺术策略与日常生活融合起来，取得了概念摄影领域最引人入胜的成就。她的著名作品《请跟随我》(*Suite Vénitienne*，1980）发端于她某天在巴黎与一位陌生男人的两次偶遇。第二次照面时，卡勒和这位亨利·B 先生简单交谈了几句，得知他将去威尼斯旅行。她决定跟去意大利，在他

图 12　苏菲·卡勒，《彩色食物》，1998。
在六天当中，卡勒只吃单一颜色食物构成的餐点。这一融合了艺术手法和日常生活的作品，是这位法国艺术家充满想象力的标志。

图 13　张洹，《为鱼塘增高一米》，1997。
张洹为拍摄筹划了这一群体行为，照片成为这一艺术行为的最终成果。张洹、马六明和荣荣，同为“北京东村”的成员。这个群体始终把摄影作为其行为艺术作品的组成部分。

不知情的情况下在威尼斯的街道上尾随他。她用照片和笔记记录了这场旅行，一场这个男人不知不觉地带她进行的不曾预期的旅行。1981 年，卡勒发表了作品《旅馆》(*The Hotel*)。为了创作，她在威尼斯的一家旅馆里当过服务生，在每天清扫卧房时拍下住客的私人物品，推测并想象这些人的身份。她打开住客的行李箱，阅读他们的日记和文件，查看待洗的衣物，检查垃圾桶。她把自己每一次的入侵行为都系统地拍摄下来，并做了笔记，之后出版、展出了这些笔记和照片。卡勒的艺术作品混合了事实与虚构、暴露癖与窥视癖、表演与观看。她耗尽心力创设的这些脚本，有的近乎失控，有的漏洞百出，有的没有结局，有的突现意外的转机。当卡勒与作家保尔·奥斯特（Paul Auster，1947— ）合作时，脚本对于她艺术创作的重要意义更加凸显。在小说《巨兽》(*Leviathan*，1992）中，奥斯特以卡勒为原型创造了一个叫玛利亚的人物。卡勒纠正了书中有关玛利亚的几个段落，这样使自己的艺术家人格与小说角色难解难分。她一边做着奥斯特在小说中

© RongRong / East Village, Beijing, 1994. No.46

图 14 荣荣，《北京东村，第 46 号，芬 · 马六明的午餐》，1994。

为玛利亚虚构的活动，一边还请奥斯特为她自己虚构一些活动，其中包括颜色餐：一周之内只吃一种颜色的食物［12］。最后一天，卡勒突发奇想，邀请来客从颜色餐中选一道菜来吃。

行为艺术在 1980 和 1990 年代的中国艺术中占据重要地位。在有限的前卫艺术实践中，不依赖于任何艺术机构的行为艺术可以展现短暂的戏剧性，为一些持不同观点的艺术家提供了表达的机会和渠道。此外，行为艺术的身体性也从根本上挑战了中国文化对自我个性的压抑，从而成为批判中国社会的重要戏剧形式。最著名的行为艺术团体之一是存在时间很短的“北京东村”。“北京东村”于 1993 年开始活动，其成员大部分受过绘画训练，他们用行为表演模糊了生活和戏剧的界线，发出了令人不安的宣言，质疑、反抗并回应中国文化的剧变。这些行为表演在室内或偏僻场所进行，观众数量不多。张洹（1965— ）、马六明（1969— ）和荣荣（卢志荣，1968— ）等艺术家在极端的行为表演中挑战人体极限，经历了

图 15　约瑟夫 · 博伊斯，《我爱美国，美国爱我》，1974。

身心的痛苦和不适。摄影总是行为艺术的组成部分，艺术摄影师不是对行为艺术做出阐释，就是将行为艺术拍摄成最终的作品［13，14］。

乌克兰艺术家奥雷格 · 库里克（Oleg Kulik，1961— ）的艺术实践与上述的行为表演艺术非常类似，他上演动物抗议和兽类表演，以表明我们是动物的另一个自我，动物是我们的另一个自我。库里克的行为表演具有一种直接政治对抗的成分，比如，他像野狗那样撒野，攻击警察，攻击制度化权力的代表。他致力于他的“艺术家动物”(artist-animal) 的观念，这不仅是他在行为表演这一段时间里的角色表达，更是他的一种生活方式：他甚至成立了“动物党”，这样就有了一个表达主张的政治平台。在库里克的作品中，可以明显看到早期概念艺术家的影响。有一次，他在纽约举办为期两周的行为艺术活动，他扮演一只狗，将作品题名为《我咬美国，美国咬我》(*I Bite America and America Bites Me*)。其实，他这是援引了德国艺术家约瑟夫 · 博伊斯 (Joseph Beuys，1921—1986) 的反越战作品《我爱美国，美国爱我》(*I*

图 16　奥雷格 · 库里克，《未来家庭》，1992—1997。

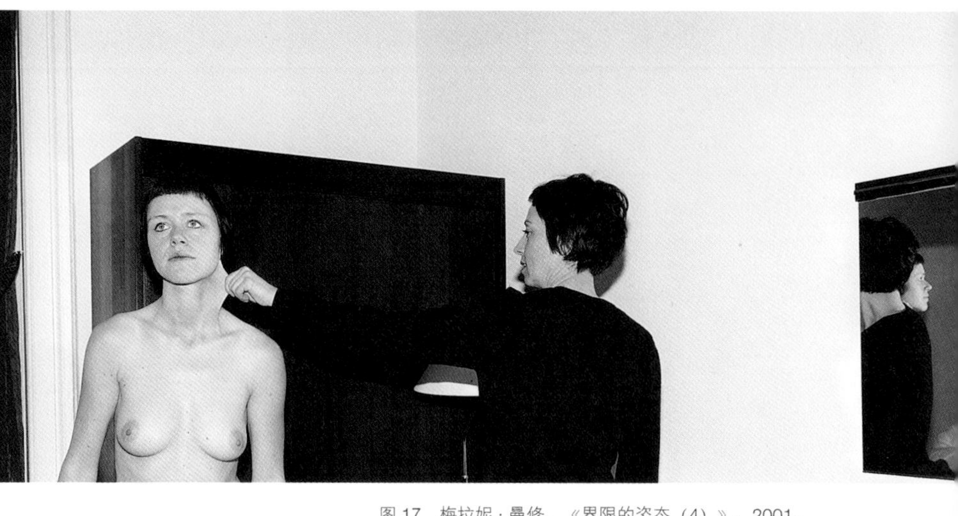

图 17　梅拉妮·曼修，《界限的姿态（4）》，2001。

Like America and America Likes Me）［15］，借此向行为艺术的传统——为政治化摄影提供良机——致敬。在那件作品里，博伊斯将自己和一只土狼拴在一起，住在纽约一家画廊里——如此奇特的同居状态被拍摄了下来。库里克的作品《未来家庭》(*Family of the Future*)［16］由几幅照片和几件画作构成。它思考了这样一个问题：如果人与动物的行为和态度合为同一生活方式，他们之间将是什么关系。我们看到，赤裸身体的库里克与狗同处，做出半人半兽的行为。这些黑白照片按家庭照片的小尺寸冲印，装上相框，展示于一间房内，里面的家具比正常尺寸小很多，人们必须像狗一样趴下身子四肢着地才能入内观看。

摄影也是创造和展现另类现实的一个工具，运用方式不那么特定但同样有趣。在梅拉妮·曼修（Melanie Manchot，1966— ）的系列作品《界限的姿态》(*Gestures of Demarcation*)［17］中，有人拉扯这位艺术家很有弹性的颈部皮肤，但艺术家面无表情，一动不动。作品中出现的这种荒诞的戏剧性，可追溯到 1960 年代概念艺术使用嬉闹荒诞的行为表演的做法。不过，这个场景不是被摄影固定下来的行为艺术，而是专门为了拍摄而做出的一个动作。曼修精心挑选了场地、相机角度和合作

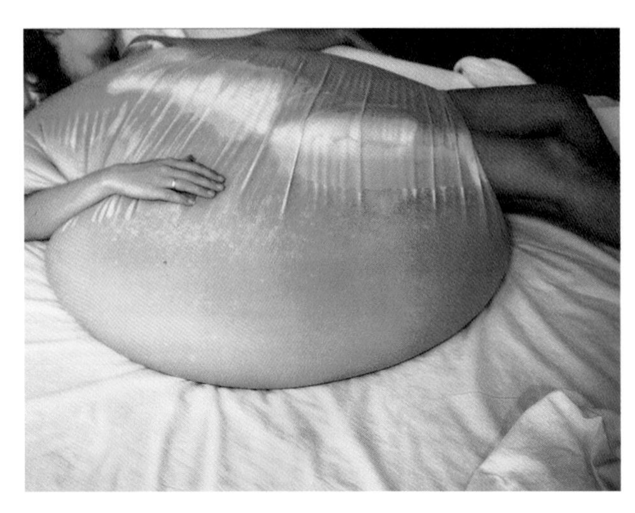

图18 珍妮·邓宁，《团块（4）》，1999。

伙伴，如此一来，就把作品预先构思的实质掩盖在了貌似即兴的姿态之下。因此，图像的意义保持不确定性，观众必须运用想象来阐释。

珍妮·邓宁(Jeanne Dunning，1960—)的摄影作品同样关注身体性：一个器官团块被戏剧性地抽象到不见真正的被摄对象的地步，从外到内只指涉身体器官。在《团块（4）》（*The Blob 4*）［18］中，一袋貌似巨大植入硅胶的东西覆盖在女人的躯体上，这庞然大物仿佛肿胀的肉块一般滑向照相机。团块体现了人类肉体的窘困与脆弱。在同时拍摄的录像当中，女人试图把这个团块装进女式服装里，好像在竭力摆弄着一个笨重而肿胀的身体。在邓宁的照片和录像当中，团块承载了人类身体非理性的、无法驾驭的心理学隐喻。

《面包人》（*Bread Man*）是日本艺术家折元立身（1946— ）行为表演的角色，他把自己的面孔藏在一个雕塑状的面包团后面，照常进行日常活动。他这种卡通人物般的行为表演并没有特别的戏剧性。他在城里散步或骑车，他那怪异但不具威胁性的外表常被路人礼貌地视而不见，但偶尔也会招致一些人的惊喜和好奇。表现这种荒诞的介入行为的摄影活动，有赖于人们是否愿意打断日常事务，停下来与艺术家交流互动，并被拍摄下来。折元立身还用自己的这副面包装扮，与身患老年痴呆症的母亲一起拍了双人肖像，在视觉上融合了她改变了的心理认知和他展现身体差异的行为表演［19］。

图 19　折元立身，《面包人，儿子与患老年痴呆症的母亲，东京》，1996。

在欧文·沃姆（Erwin Wurm，1954—　）不同寻常的身体行为及其照片中，也可以发现类似的、对索然无味的日常生活的打断［20，21］。

图 20（左） 欧文 · 沃姆，《银行经理站在银行前》，1999。
沃姆拍摄了他自己，以及愿意以荒诞的雕塑般姿势与他一道合作的人，有时候使用一些日常物品作道具。这些“一分钟雕塑”并不需要特殊的身体技能或器材，艺术家通过这种方式鼓励人们将自己转化成为日常生活中的艺术品。

图 21（右） 欧文 · 沃姆，《户外雕塑》，1999。

在《一分钟雕塑》(*One Minute Sculpture*) 中，沃姆专门写了一本小册子，对可能的行为表演画了速写，做了动作说明与描述。这些行为表演无需任何特殊的身体技能，也不讲究道具或场地，比如，一下子穿上所有衣服，站在一只桶里，头顶另一只桶。沃姆邀请所有愿意表演这些动作的人来参与，以此来表明一件艺术品就是一个想法而已，而艺术家亲身来展示如何实现这个想法，与一个只有他自己能表演的动作相比，更能鼓励他人参与进来。成为沃姆照片中的模特的，有朋友，有前来参观他的展览的观众，也有看到他在报上登的广告前来应聘的人。沃姆本人也会出现在自己的照片中，但并不把自己当作权威的行为表演人；相反，他对艺术家的身份进行悲喜剧式的嘲讽。

用简单的动作来解构日常生活的表象，摄影概念主义的这一作用在英国艺术家吉莉安·维尔林（Gillian Wearing，1963— ）的作品《这些是你想让别人说的话，不是别人想让你说的话》（*Signs that say what you want them to say and not signs that say what someone self wants you to say*）中也得到了反映［22］。为了创作这个作品，维尔林在伦敦街头与陌生人接触，请他们在白卡片纸上写一些有关他们自己的文字，然后拍下他们手持写有文字的卡片纸的照片。这些照片展露了这些人的情感状态和深受其扰的人生问题。这种把自主控制权交给被拍摄者的做法，挑战了纪实肖像摄影的传统做法。维尔林将创作重心放在被拍摄者的内心冲突上，并由此提出，并不是使用传统的纪实摄影风格或构图才能捕捉到日常生活的深刻性及其体验，通过艺术介入和策略运用，反而能更有效地达到这一目的。

这是当代艺术摄影领域的一个重要主张，当被拍摄者在摄影师的指导下放松下来，在相机前的姿态不那么有自我意识的时候，这个主张的正确性便更加彰显。例如在德国艺术家贝蒂娜·冯·茨维尔（Bettina von Zwehl，1971— ）的由三幅照片组成的系列作品，展现了被拍摄者在其外表不受他们自己控制

图 22　吉莉安·维尔林，《这些是你想让别人说的话，不是别人想让你说的话》，1992—1993。

图23 贝蒂娜·冯·茨维尔，《#2》，1998。

时的情形。在这所有三幅照片中，冯·茨维尔请被拍摄者穿上某种颜色的衣服，完成一些简单的任务。在第一幅照片中，被拍摄者穿着白色衣服入睡，然后被叫醒，在他们脸上睡意未消时被拍摄下来［23］。在第二幅照片中，被拍摄者身穿高领蓝毛衣，弄得精疲力竭，这时艺术家拍下他们心跳加速、面红耳赤又似乎镇定自若的样子。在第三幅照片中，被拍摄者显得紧张不安。冯·茨维尔让他们躺在工作室的地板上，她从他们的上方拍摄他们屏气凝神的情形。

日本艺术家横沟静（Shizuka Yokomizo，1966— ）创作《陌生人》（*Strangers*）［24］时也需要摄影师和被拍摄者之间类似的共谋。该系列作品由 19 幅夜间摄于底层楼房窗前的单个人物肖像构成。横沟静选择了她能从街上直接观察的窗子，给房子住户写信，询问他们是否愿意在指定时间打开窗帘，面向窗外。在这些照片中，我们注视着陌生人，而

图 24　横沟静，《陌生人（10）》，1999。
横沟静选出她能从街上拍到室内的住宅，给这些住户发出邀请信，请求这些陌生人在夜晚某个时间站在窗户前，亮起灯光，打开窗帘。照片展现了这些人遵照陌生摄影师的指示，在知情的情况下摆出姿势接受拍摄的情形。

陌生人也注视着他们自己，因为在他们预期那拍摄时刻的时候，窗子充当了他们的镜子。标题中的“陌生人”，不仅指涉被摄者对艺术家和我们而言的陌生人的身份，也指涉这样的一种情形：艺术家拍出了当人们不期然瞥见自己时的那种好奇的自我认知，或认知错误。

荷兰艺术家海伦·凡·梅尼（Hellen van Meene，1972— ）拍摄了不少少女和少妇的照片。无法弄清的是，我们看到的是刻意为之的姿势，

图 25 海伦·凡·梅尼，《无题 #99》，2000。

图 26（上） 倪海峰，《作为瓷器出口史一部分的自拍像，No.1》，1999—2001。

图 27（下） 林荫庭，《别傻了，你不丑》，1993。

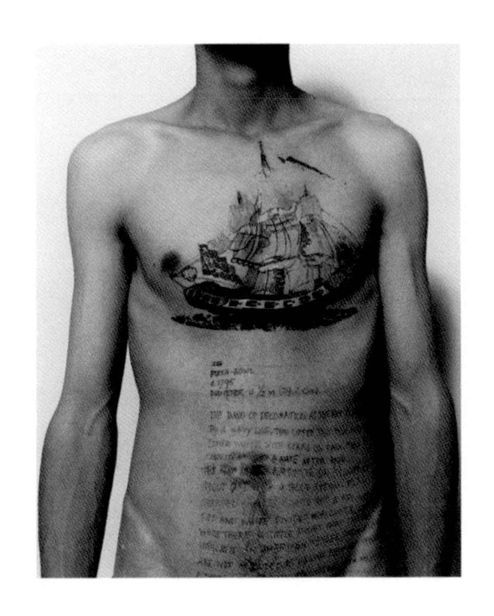

SELF PORTRAIT AS A PART OF THE
PORCELAIN EXPORT HISTORY

Ni Haifeng,1999

还是笨拙突兀的自然动作？这些女孩是为拍摄而刻意打扮，还是在嬉戏时被无意识拍摄下来？［25］这些肖像的主角，这些神秘莫测、超脱凡俗的女性是真有其人，还是艺术家的虚构以营造美妙绝伦的女性特质？这样的模棱两可性实在让人神魂颠倒。这种不确定性来自凡·梅尼的高超创作手法：她心中很清楚自己想要捕捉的东西，但在拍摄时又有意抛开事先准备好的“脚本”，然后将眼前自然展现的一切拍摄下来。她在这里使用的策略是，首先以摄影师的编导方式，然后利用被拍摄者的反应，来营造一个能激活拍摄对象情绪的环境。

如前所述，当代艺术摄影重新激发了在人身体上书写文化和政治意义这一做法的活力，这句话用来形容中国艺术家倪海峰（1964— ）尤为贴切。这里展示的图像［26］中，艺术家身体上绘制了18世纪中国瓷器的图样，这些瓷器由当时的荷兰商人设计，以迎合西方对“瓷器/中国”(china) 的需求。他身上的文字是用美术馆标签或图录条目的样式来书写，令人联想起收藏家的惯用语言，以及贸易和殖民主义的社会内涵。林荫庭（Kenneth Lum，1956— ）的作品同样强调了文本和图像［27］。他含蓄地指出，一张照片有了图片说明，才能全面阐述其理念和意义。如果没有附加的文字来帮助“解释”作品意义，即便是由艺术家亲自把关，这影像也会显得问题百出，意义不清。在《别傻了，你不丑》(*Don' t be Silly, You're Not Ugly*) 中，林荫庭用白人女性安慰朋友的话，来凸显一个社会的美丑观和种族观是如何投射到我们日常生活当中的。

荷兰艺术家罗伊·维勒弗耶(Roy Villevoye，1960—) 则反其道行之，以纯视觉的方式来再现文化差异。他与印尼伊里安查亚的阿斯玛特部族合作，进行长期的艺术探索，他尤为关注与荷兰殖民史相关的色彩和种族问题。在《礼物（三个阿斯玛特人，三件T恤，三个礼物）》(*Presents [3 Asmati men, 3 T-Shirts, 3 Presents]*) ［28］中，维勒弗耶让三位当地人穿上荷兰T恤衫，站成一排进行拍摄，这种拍摄风格多少让人联想到19世纪的人类学摄影。维勒弗耶的摄影策略反映了两种文化之间历史的

图 28　罗伊 · 维勒弗耶，《礼物（三个阿斯玛特人，三件 T 恤，三个礼物）》，1994。
维勒弗耶长期与阿斯玛特人合作的这个艺术探索项目采取了多种形式，但常常以原住民与西方之间有关物品及其设计的现货交换、量身再造和重新阐释为中心而展开。

贸易联系，以及西方人如何一意把自己的品位和礼仪规范强加给被殖民的土著居民。其他一些照片展示了阿斯玛特人身穿根据他们自己的设计而改造的 T 恤的模样，表明面对西方的主宰，阿斯玛特文化既非不堪一击，也非一成不变。相反，他们能够改造外来势力，为己所用。

量身再造自然界，一直是美国艺术家尼娜 · 卡恰多利安（Nina Katchadourian，1968— ）1990 年代以来的艺术创作的戏谑性标志。在 1998 年的《修补蘑菇（顶级轮胎橡胶修补工具）》（*Renovated Mushroom，Tip-Top Tire Rubber Patch Kit*）中，她用色彩鲜艳的自行车轮胎补片来修补蘑菇伞的裂缝，并将其拍摄下来。在《修补蜘蛛网》（*Mended Spiderweb*）系列［29］中，她用硬挺的彩线来修补蜘蛛网。她的手工修补成果会遭遇意外的波折：蜘蛛会一夜之间竭力去除和修改她的“修补”。在此艺术语境下，卡恰多利安对自然界所做的这种故意笨拙的小规模介入，其实是一种女性化的嘲讽性反击，她反击的是 1960 和 1970 年代“大地艺术”（land art）对自然界的大规模介入。

文姆·德沃伊（Wim Delvoye，1965— ）以其机智和幽默，创作了以视觉妙语为驱动力的雕塑和摄影作品。他将世俗功能与宏大装饰毫不相干地结合起来，一如他精巧制作的洛可可式木制水泥搅拌机，以及用切片萨拉米香肠和腊肠构成的精美马赛克图案。德沃伊用这种手段创造了审美愉悦但心理反常的视觉经验。他把通常用于纪念碑和墓碑的那种铭文字体，与随意写就、丢到门阶或餐桌上的便条用语融合在一起［30］。他将言辞夸张与平淡朴实、公共与私密有趣地组合起来，让作品对当代生活中自然资源的浪费，以及沟通的本质，进行了严肃的批判。与此相似的是，英国艺术家大卫·史瑞格里（David Shrigley，1968— ）的照片和素描采用震惊和视觉双关语的手段，并以对超现实主义的激赏，以一种狂躁的、学童式的姿态揭穿了艺术的矫揉造作［31］。摄影概念主义的这种反智形式，依赖的是想法大逆转，而观者也必须当即领会和欣赏这些想法的意义。史瑞格里所刻意采用的稚嫩的速写风格，以及草率

图 29　尼娜·卡恰多利安，《修补蜘蛛网 #19，晾衣绳》，1998。

图 30　文姆 · 德沃伊，《外出遛狗》，2000。

图 31　大卫 · 史瑞格里，《别管这座建筑》，1998。

了事的、无作者意味的照片形态，向观者表明，至少就其创作技巧而言，我们无需过分看重艺术家。我们欣赏艺术作品的体验，其实与我们每天看到厕所墙上的笑话和教室里的涂鸦的感受不相上下。

这种讽刺性的黑色戏谑在英国艺术家莎拉·卢卡斯（Sarah Lucas，1962— ）的作品中也非常明显。她常常用摄影记录下刻意打造的粗鲁的现成艺术。《下马，喝奶》（*Get Off Your Horse and Drink Your Milk*）[32]具有一种生硬而滑稽的粗鲁风格，它通过特别的场景编导，把通俗小报的图片故事里流行的卡通语言，与前卫艺术实践中的行为艺术和网格化排列的照片结合起来。本章稍前讨论过裸体的使用——那是达到和表达敏感体验的手段，而卢卡斯作品重点要表明的是，人体通常以何种方式再现在报刊杂志的日常图象中。在此展示的这件作品中，她反转和颠覆了为社会普遍接受的性别角色和意象，人体更多地成了一出闹剧，而不

图 32 莎拉·卢卡斯，《下马，喝奶》，1994。

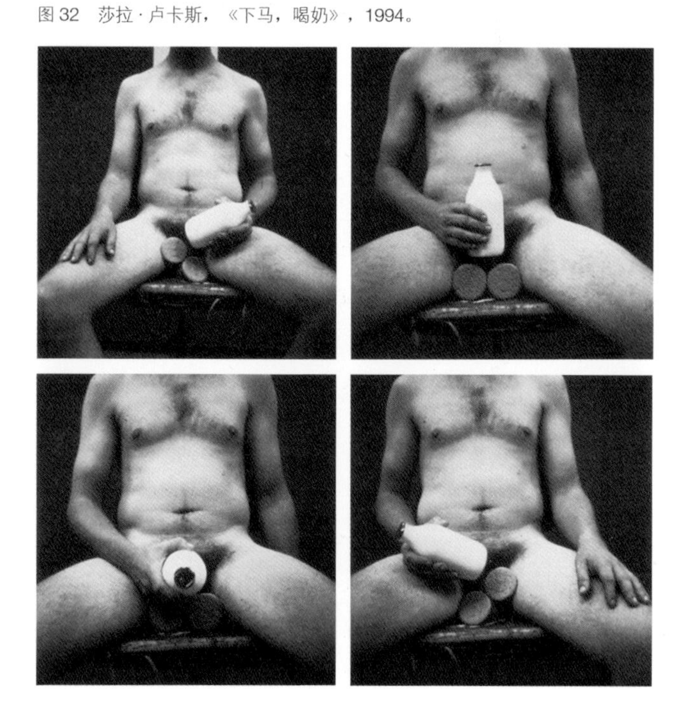

图33　安妮卡·冯·豪斯沃尔夫，《万物皆有关联，呵呵呵》，1999。

是一个性感符号。

在瑞典艺术家安妮卡·冯·豪斯沃尔夫（Annika von Hausswolff，1967— ）的《万物皆有关联，呵呵呵》（*Everything is Connected，he，he，he*）［33］中，摄影师也嘲讽了对性欲化的身体的描绘方式。在她拍摄的这张洗手池照片中，那阳具状的水龙头和缠绕在一起的衣物，构成一幅性意味强烈的图像。冯·豪斯沃尔夫营造了一场视觉游戏：我们先看到洗手池这个真实的物件，然后看到这个概念化了的性内容。两个图域之间的这种相互作用，表明了本章前面讨论过的当代艺术摄影摇摆不定的地位：它是记录行为艺术表演、策略或偶发事件的工具，而本身也是清晰可辨的艺术品。摄影既是固化观察结果的一个实用工具，也是使不同视域之间的相互作用产生效果的一个手段。

莫娜·哈透姆（Mona Hatoum，1952— ）的作品《梵高的后背》（*Van Gogh's Back*）［34］让我们产生这样的视觉转换：从男人湿漉漉背部打旋的体毛，转回到梵高那幅画作的打旋的星空里。我们之所以能欣赏这幅作品，原因在于：我们不再把摄影影像看作三维空间场景（影像再现了我们相信现实世界曾经存在的一个雕塑物或事件，于是我们做出如

图 34　莫娜·哈透姆，《梵高的后背》，1995。

此反应)；而湿漉漉的体毛的二维的、图片式再现，通过梵高，与那个图案化的星空建立了联系。二维空间和三维空间之间的相互作用，是观赏照片的最大乐趣所在。摄影具有描绘结实的立体造型、稍纵即逝的事件和结合，并将它们简化为二维图形的能力，对整个摄影史中的所有摄影师来说，这一点既是永恒的魅力，又是无尽的挑战。而在当代艺术摄影中，这些有关摄影的本质的种种问题，不仅影响艺术家技法的使用，而且这些问题本身也常常成为艺术家整个作品的主题。

图 35　乔治·鲁斯，《马雷》，2000。

这也成为法国艺术家乔治·鲁斯（Georges Rousse，1947— ）摄影作品的核心主题。鲁斯利用废弃的建筑空间进行创作，用涂刷油漆或灰泥的方式改造场地，这样一来，如果从特定角度进行拍摄，一个圆圈或棋盘图案之类的彩色几何形状就好像悬浮于影像的表面［35］。乍一看，整个过程似乎只是简单地将用颜料刷出的几何图案叠加在照片上而已，其实，这是通过悉心建构场景、正确安排相机位置才得以达成的幻觉。鲁斯的行为是在一个实际空间内制造一个不相干的场景，为图像平面打造另一个维度。在作品《球照片》(*Ball Photographs*) 中，英国艺术家大卫·斯佩罗（David Spero，1963— ）将一些彩色橡皮球放置在不大的场地上，结果在镜头中我们发现这些橡皮球竟成了滑稽可笑但美丽无比的空间标点符号［36］。这些场地形成了自制的天空，倾斜地穿过地面、窗台和每个场景的表面，让我们关注出现在每张照片中的许多静物，关注这些静物如何转化为摄影主体的。

本章要讨论的其余作品以“重复”为创作重点。这种手法可以比作田野调查，或对一种假说进行准科学验证。重复把空想转化为计划，因为重复的行为似乎为某事提供了证据。我们往往被要求比较事物的异同。美国摄影师、诗人提姆·戴维斯 (Tim Davis，1970—) 的系列作品《零售》(*Retail*)，刻画了在美国郊外，夜间房屋漆黑的窗户上映照出快餐连锁店的霓虹灯招牌［37］。这些照片揭示，当代消费文化已不知不觉地强加到普通人家的生活中。哪怕只看到这样的一幅照片，我们都会警觉于戴维斯令人不安的社会观察，但正是通过这种夜间现象的重复呈现，他的想法才成为一套有关消费主义如何污染了我们的隐私和意识的理论。俄罗斯艺术家奥尔加·切尼谢娃（Olga Chernysheva，1962— ）题为《复苏（渔夫；植物）》(*Anabiosis* [*Fishermen; Plants*]) ［38］的照片系列，以柔和的色调刻画了立于白雪覆盖的浮冰之上的俄罗斯渔夫，为抵御极度严寒全身包裹着厚重衣物的模样。这些一动不动的渔夫状如破雪而出的植物幼枝，令人很难辨别出作品标题所示的人物的轮廓，这同时也暗

图 36　大卫 · 斯佩罗，《纽约拉斐特大街》，2003。

图 37　提姆·戴维斯，《麦当劳（2），蓝色栅栏》，2001。

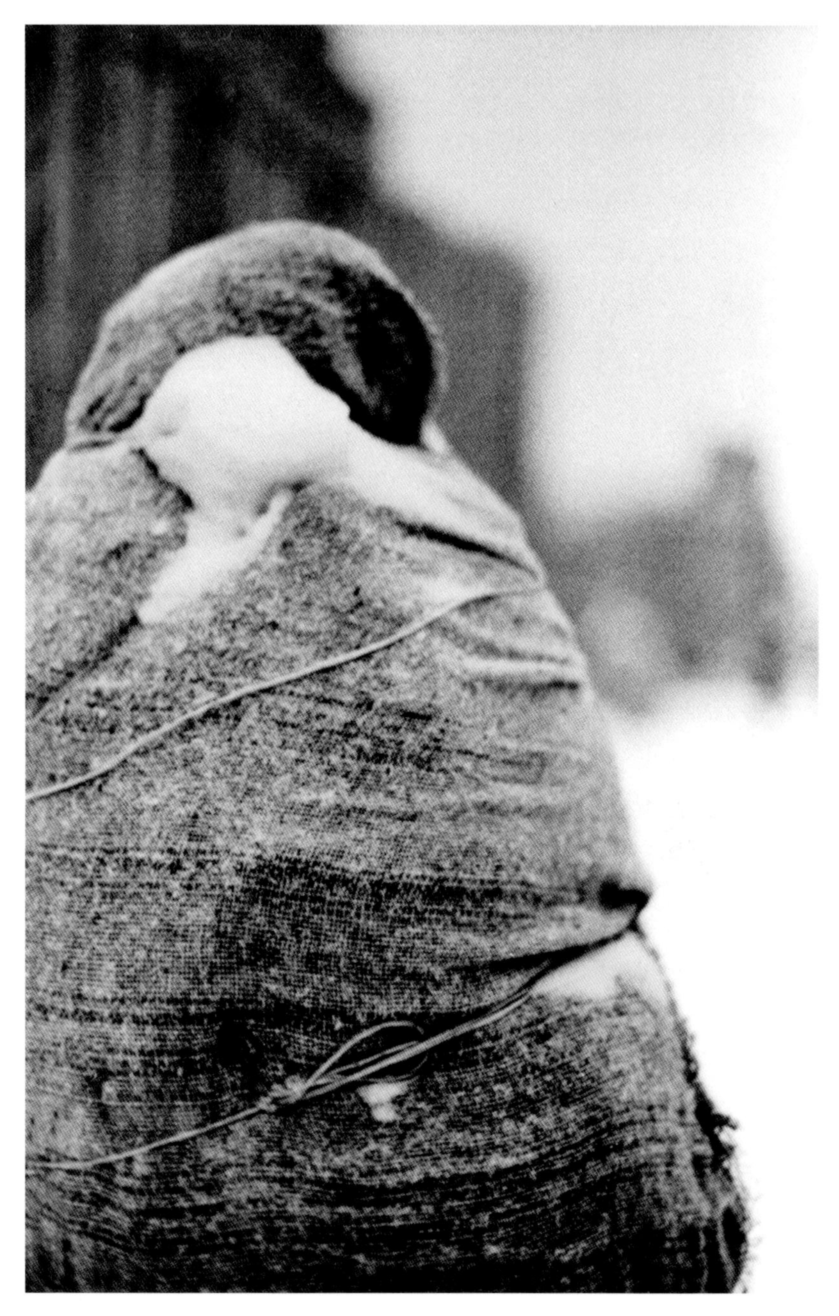

图 38　奥尔加·切尼谢娃，《复苏（渔夫；植物）》，2000。

图 39　雷切尔·哈里森，《无题（珀斯·安博伊）》，2001。

图 40　菲利普–卢卡 · 迪科西亚，《头像 #23》，2000。

示了他们仿佛封裹在茧壳里，假死一般的状态。切尼谢娃以系列的形式来展现出这些人物，凸显这些孤独的劳动者神秘的样貌。

在《无题（珀斯 · 安博伊）》(*Perth Amboy*)［39］中，美国艺术家雷切尔 · 哈里森（Rachel Harrison，1966—）观察到一种奇怪的、不可理喻的人类姿势。这些照片展现的是新泽西某家的窗户玻璃，据传，圣母玛利亚曾在此显灵。访客来到这里，将手放在窗户的任何一边，试图通过触觉体验来感悟这一奇迹。一方面，重复呈现人们对这个场所的反应，使哈里森的《无题（珀斯 · 安博伊）》成为一部久久反思人类对待超自然现象的态度的作品；另一方面，重复的姿势在视觉上显得深不可测，而我们对此深感好奇，正映照了朝圣者对于感悟神迹的渴望。

把美国摄影家菲利普–卢卡·迪科西亚（Philip-Lorca diCorcia，1953— ）的作品收录在本章也许有些出人意外。他深刻地影响了执导式摄影的兴起——这是下一章的主题。但是，他的《头像》（*Heads*）系列［10，40］是运用事先策划这一创作手法的极端例证。在纽约一条繁忙街道的工地脚手架上，迪科西亚架起闪光灯，闪光灯正好置于行人头顶上方。当行人径直走进这个“目标”区域时，迪科西亚的闪光灯就会触发，被光束照亮的行人就被艺术家摄入长焦镜头中。《头像》系列的核心想法在于，摄影装置的设立要确保被拍摄者意识不到自己正被观察和拍摄，而摄影师也要接受这种自发的、不可预见的拍摄方式。这样的照片给我们一种强烈的、有启示意义的体验：我们能够久久凝视本来可能与我们擦肩而过的场景；这样的照片也是一种崭新的肖像形式：被拍摄者完全无法左右自己如何呈现在照片中。

罗尼·霍恩（Roni Horn，1955— ）的《你就是天气》（*You Are the Weather*）［41］由一位年轻女子的61幅面部照片组成，这些照片在数天内拍摄完成。她的面部表情变化细微，但是，因为该系列作品重复呈现了她的面部特写，我们在比较不同的图像时，细微的变化就被放大成各种情绪；而我们对她的身体进行了仔细、密集的审视，照片因此也有了一种色情的意味。作品标题指的是这样一个事实：她是站在水中被拍摄的，她的表情受当时的天气带给她的舒适度的影响。不过，标题中的“你”是观者，观者于是被鼓励参与到作品中来，想象他们自己就像天气一样，挑动着这位女性的情绪。正如我们在本章始终看到的，确定的结构与不可预期的、不可驾驭的元素之间的相互抗衡，常常能产生神奇的结果。

图 41　罗尼·霍恩，《你就是天气》（装置现场照片），1994—1996。

图 42　杰夫 · 沃尔，《路人》，1996。
沃尔将摄影师分成两类：猎人和农夫。前者追踪、捕获影像，后者经年累月培育影像。在类似《路人》的照片中，沃尔有意把两者结合起来，将影像建构得仿佛是自然发生的街景。《路人》是一则关于都市生活本质、有形的危险和陌生人的威胁的寓言。

第二章　从前

本章探讨当代艺术摄影中的“叙事”(storytelling)。这里展示的作品，一些明显指涉了早已成为人类集体意识一部分的寓言、童话、杜撰事件和现代神话，另一些则是重要事件的更迂回、更不确定的描述。我们认为这些事件重要，是因为影像的这种特别安排，但其真正意义究竟是什么，却要靠我们根据自己的叙事训练和心理思考去赋予这些影像。

将图像叙事浓缩进单一影像——一幅独立的照片——之中，这种摄影通常被称为置景（tableau）摄影或编导置景（tableau-vivant）摄影。在 20 世纪中叶，摄影叙事通常是以照片故事和摄影专题的形式刊印在画报上，照片按照一定顺序来呈现。本章展示的照片，不少是系列作品的一部分，但这些单幅照片亦承载着叙事。编导置景摄影的前身是摄影出现之前的艺术以及 18、19 世纪的具象绘画，我们只有依靠这方面的文化素养，才能理解由人物和道具构成的意味深长的故事瞬间。当代摄影确实神似具象绘画，但切莫以为这是简单的模仿或复古。相反，这种神似表现了这样一种共识：场景可以精心摆布，以让观者明白，这画面正讲述一个故事。

加拿大艺术家杰夫 · 沃尔（Jeff Wall，1946— ）是编导置景摄影的先驱实践者之一。他在 1970 年代末艺术史研究生毕业之后形成了其艺术风格，1980 年代引起了评论界的重视。他拍摄的那些照片不只是他用在学术研究中的插图，它们也是最好的例证，借以详细证明艺术家是如何理解最好的置景摄影作品应当如何创作和建构。沃尔认为自己的全部作品分成两大类型。一类风格华丽，作品的巧妙全由故事的奇幻特性凸显。1980 年代中叶以来，他经常利用数字处理技术来营造这种效果。在另一类作品中，他编导了事件，那些事件看上去微不足道，就像一个人不经意间瞥见的场景。黑白照片《路人》（*Passerby*）就是一个最好的例子。我们看到一个人转身逃离照相机，乍一看还以为这是晚间新闻报道摄影［42］。沃尔通过预先设计和场景构建这样的真实过程，构建了被抓拍的这一瞬间的表面与内在之间的紧张感。

《失眠症》（*Insomnia*）［43］的构图手法类似文艺复兴时期的绘画作品，厨房场景的角度和物品引导我们观看照片，理解照片所展现的动作和叙事。室内场景布局或许为我们提供了达到这一瞬间的事件线索：男人焦躁不安地在简陋的厨房里踱来踱去，越发心神不宁，最后只能绝望地瘫倒在地，以求入眠。厨房缺少家居的细节，也许反映了这个人的生活方式和失眠状态，也反映了我们可以看到的舞台演出场景。对我们来说，这个场景非常程式化，不禁让人怀疑这是一个编造出来的事件，借以隐喻人的心理痛苦。

重新建构这样一个场景所需的功夫和技能，与画家在画室中耗费的时间和精力不相上下。为创作一件摄影作品，所有的东西都动用起来，这种做法令人起疑：这是摄影师独自一人所能完成的吗？为摄影创造一个情景，需要调用演员、助手和技术人员，因此摄影师应重新定义为导演——一个关键人物，但并非唯一的创作者。因此，摄影师和电影导演类似，两者都是想象性地利用了集体性的幻想和现实。

沃尔将他的许多作品用大型灯箱的形式在画廊展示，灯箱空间大，能发光，给照片一种壮观的存在感。灯箱不是照片，也不是绘画，却给

图 43　杰夫·沃尔，《失眠症》，1994。

人这两种视觉体验。人们往往认为，灯箱的运用为沃尔的作品引入了另一个参照系，即背光式广告牌。但其实沃尔几乎没有直接评论过商业影像，尽管他的照片可以做得像广告牌那么大，像广告牌那样吸引人。街头广告高悬空中，一望便抓人眼球，而沃尔的作品则根本不同，它需要鉴赏艺术品的那种更深入的观看。

菲利普-卢卡·迪科西亚的《好莱坞》(*Hollywood*) 系列，为当代艺术摄影叙事确立了同样影响深远的典范。该作品为系列男性肖像，迪科西亚在好莱坞圣塔莫尼卡大街一带遇到这些男人，请他们摆姿拍照。每张照片有一个标题，标出了男子的姓名、年龄、出生地以及迪科西亚付他的拍摄费。这些照片令观者心生联想：什么样的高远志向和期望，让这些年轻人来到这座浮华之城？所得到的那一点点酬劳让人觉得他们现在时运不佳，竟沦落到为赚钱而让人拍摄自己的身体（这显然让人联想到性产业）。

在《艾迪·安德森，21 岁，德克萨斯州休斯顿，20 美元》(*Eddie Anderson; 21 years old; Houston，Texas; $20*)［44］中，一位腰部以上全裸的男子现身在小餐馆窗户后面。这包含一种混杂的信息：他年轻而健壮，可供雇佣，但与此同时，他简直衣不蔽体。照片被设定在黄昏时分，这一时间象征了介乎安全正常的白昼以及隐蔽而暗藏威胁的夜晚之间的转折点。这种戏剧性光线——特别在迪科西亚作品中——常常被认为具有“电影感”。对于一般的编导置景摄影所使用的光线来说，这种说法可以说是准确的；这种用光不同于肖像摄影的均匀布光或重点打光。但说迪科西亚的系列作品具有广义上的电影性，或者说编导置景摄影是电影

图 44　菲利普–卢卡·迪科西亚，《艾迪·安德森，21 岁，德克萨斯州休斯顿，20 美元》，1990—1992。
置景摄影往往使用电影片场中常用的布光方式，将光线同时打到场景的多个位置，以达到模拟自然的效果，同时也考虑到演员穿越场景的情况。选择一天内特定的时间进行创作，可以增强作品的戏剧感和心理冲击力。比如在日落黄昏时刻，自然光和人造光的融合，可以营造出场景和叙事的戏剧感。

图 45　特蕾萨 · 哈伯德和亚历山大 · 比歇尔，《无题》，1998。

的静态版，这是不对的。编导置景摄影并不力图模仿电影，以对观者产生电影所具有的效果；如果这么做，注定会失败，因为编导置景的作用在这种摄影中与在电影中并不完全相同。电影、具象绘画、小说和民间故事只起到参照点作用，它们能帮助最大化地创设可能的意义，帮助我们理解编导置景摄影是摄影师糅合事实与虚构，主体与其寓意性、心理性意义而成的想象性产物。

特蕾萨 · 哈伯德（Theresa Hubbard，1965— ）和亚历山大 · 比歇尔（Alexander Birchler，1962— ）的摄影作品刻意追求含糊不清的象征意义，但都非常强调叙事性。哈伯德和比歇尔搭建场景，从专业演员中挑选角色，指导演员表演。在《无题》（*Untitled*）［45］中，他的相机好像穿透了房子的地板和墙面，拍出的画面营造出一种好奇和恐怖感，令

图 46　萨姆 · 泰勒–伍德，《独白（1）》，1998。
这幅图片色彩丰富、尺幅巨大，融合了圣母恸子图的人物形象与文艺复兴宗教绘画、祭坛画中装饰雕带的动作鲜活的特点。照片下部的装饰雕带是用一台 360 度移动镜头的全景相机拍摄的。

人急于知道画面外的上下左右发生了什么。这种构图还有另一种解读方式，这是介于两个画面之间的一段胶片。这种拍摄手法意味着置景摄影可以将不同的时间合而为一，可以连续地展现过去、现在和未来，或只展现另一个局部可见的瞬间 / 画面。这种空间划分和时间暗示，非常类似文艺复兴时期祭坛绘画的创作手法：在同一个画面中包含不同的时刻。置景摄影常常以这种方式具体指涉某些早期艺术作品。英国艺术家萨姆 · 泰勒–伍德（Sam Taylor-Wood，1967— ）的《独白(1)》(*Soliloquy I*)，表现了一位年轻英俊的男子死在沙发上的情形，右臂毫无生气地垂到地上［46］。这个姿势，连同来自人物背后的光源，模仿了维多利亚时期画家亨利·沃利斯（Henry Wallis，1830—1916）那幅深受喜爱的画作《查特顿之死》（*The Death of Chatterton*，1856）。这幅画展现的是这样一个故事：十七岁的小诗人谎称自己的诗文乃重新发现的 15 世纪僧侣的作品，结果被人识破。小诗人颜面尽失，于 1740 年自杀身死。在 19 世纪中叶，查特顿代表了这位被误解的年轻艺术家的理想化人格，他的精神被资产阶级的否定所扼杀，而自杀被视为他自我意志的最终表达。泰勒–伍德的照片不仅重现了艺术史上一度盛行的情景式绘画形式，而且刻意唤起了与沃利斯画作息息相关的理想主义。泰勒–伍德浓郁的巴洛

图 47　汤姆·亨特，《回家之路》，2000。

克风格往往被用来塑造波西米亚和放浪时髦人物。她把自己的生活融进自己编导拍摄的照片中，例如安排密友入镜，由此她扮演当代宫廷画家的角色，为艺术和社会精英——她自己就是其中一分子——刻画了群像。

英国艺术家汤姆·亨特（Tom Hunter，1965— ）的系列作品《生与死的思索》（*Thoughts of Life and Death*）[47]，也是对维多利亚时期画家——特别是前拉斐尔画派——画作的当代改造。《回家之路》（*The Way Home*）的构图和叙事，直接借鉴了约翰·艾佛雷特·米莱（John Everett Millais，1829—1896）的《奥菲利亚》（*Ophelia*，1851—1852），这是维多利亚时代重新演绎威廉·莎士比亚《哈姆莱特》中悲剧人物的一幅画作。而激发《回家之路》创作的，是一个意外事件：一位年轻女子在一次聚会后的回家途中溺水身亡。这件作品展现了这位现代的奥菲利亚落入水中，回归自然——几个世纪以来，对于视觉艺术家们而言，这是一个具有巨大魅力的寓言。大幅面照片色彩饱满，与米莱画作的那种透亮澄明之感遥相呼应。亨特的早期系列《陌客》（*Persons Unknown*，1997）也同样如此。《陌客》刻画了收到驱逐令的占屋者的形象，创作灵感来自杨·维米尔（Jan Vermeer，1632—1675）的画作。当代摄影以这种方式引用历史上的视觉主题，等于确证，当代生活一定程度承载了与历史上某些时代类似的象征主义和文化观念；还等于确立了艺术作为当代寓言编年史的地位。大画幅相机的运用，使置景摄影重回到摄影史早期，重回到19世纪舞台情景剧的流行样式——那时是客厅里的消遣，也是替代画作印刷品的廉价收藏品。当今，数码摄影打破了业余和职业摄影者以及不少艺术创作者借鉴历史的传统创作手法，但使用大画幅相机的做法，却直接借鉴了摄影史上的传统形式。英国艺术家马特·科里肖（Mat Collishaw，1966— ）有意识地将这种复古倾向带入作品中。他采用过时、老套的民间摄影风格，常常带着些许感伤或俗气，来表现冲突性题材，比如，在旅游胜地，圣诞雪球被装饰得无比华丽，里面却住着流浪汉。同样，在《理想男孩》（*Ideal Boys*，1997）中，他

图 48　印卡 · 修尼巴尔，《维多利亚花花公子日记》，1998。

将这些半裸男孩放在当代场景中拍摄，却展现了 19 世纪晚期准田园牧歌式风格。他使用双透镜相机进行拍摄，这种新奇的拍摄法通常用于明信片制作，可以营造夸张的三维立体感。科里肖这种轻松随意的非艺术手法，涉及了一个令人不安的问题：我们与孩子身体之间的关系，是如何从感之念之、爱恋不已，转向愤世嫉俗、难以相处的。

生于尼日利亚的英国艺术家印卡 · 修尼巴尔（Yinka Shonibare，1962— ）的作品《维多利亚花花公子日记》(*Diary of a Victorian Dandy*)［48］，表现了花花公子——由艺术家本人扮演——某一天的五个生活瞬间。它明显借鉴的作品之一是威廉 · 贺加斯（William Hogarth，1697—1764）的《浪子历程》(*Rake' s Progress*)，一则有关年轻浪子汤姆 · 洛克威尔（Tom Rockwell）的道德寓言。贺加斯刻画了洛克威尔人生中的七个场景，生动表现了这个酒色之徒的欢愉和后果。在这个故事的当代版本中，修尼巴尔搭建了代表一天中不同瞬间的场景，室内布置全部根据历史还原，演员和艺术家本人都身穿维多利亚时代的华服。我们从照

图 49　莎拉·杜拜，《红房间》，2001。
正如莎拉·杜拜的其他摄影作品一样，这幅作品有着几乎相反却都能成立的解读。两人的拥抱可能是温柔的，也可能是粗暴的；可以看出，女人扮演了更为强势的角色。

片里看到，白人们对艺术家及其肤色视而不见，一身浪子装束显然保护了他在维多利亚社交界的地位——浪子在仪态服饰方面的良苦用心，也确保了他所标榜的自我塑造和真实不虚的成功。贺加斯的这一针对当代社会状态的讽刺之作，曾被刻版，大量印制，广为流传——这是 18 世纪的大众传播方式。有意思的是，修尼巴尔接受委托创作的《维多利亚浪子》，最初是作为海报张贴在伦敦地铁系统中的，因此也意在当今通俗的商业影像场所中发挥作用。

上述这些摄影作品的叙事利用了特定形象和文化符号，而别的摄影师则使用编导置景策略来表达更模棱两可、无明确指涉的叙事。把一个地点和一种文化的特征削弱到一定程度，以消除我们对一张照片可能揭示“何时何处”的预期，这样就营造出如梦如幻的意境。莎拉·杜拜(Sarah Dobai，1965)的《红房间》(*Red Room*)［49］显然是一出心理剧，却刻意保持其意义的不确定性。在这个室内场景中，私人物品完全缺失，我们难以判断这里究竟是家庭空间还是公共空间。红毯子可能象征了人物的品味，或者是一种简单做法，用来遮掩毯子下面衬垫的粗糙破旧。其实，这幅照片是在杜拜自己的住处拍摄的，在这个实用而熟悉的环境里，她编导了这个令人心理紧张的故事，还让自己生活中的一些物品成为作

图 50　丽莎·梅·波斯特，《阴影》，1996。

品的一部分。人物的姿势是多层面的，摇摆于亲吻或性行为之前或之后的那个瞬间。他们的尴尬之态和被掩盖的面孔，使这场相遇充满紧张感和不确定感。女人的浅色内衣一方面意味着程式化的性行为缺乏浪漫色彩，另一方面意味着深切的自觉和一种人类共有的焦虑梦境：在公共场

图 51　莎伦 · 洛克哈特，《第 4 组：佐野绚香》，1997。
洛克哈特拍摄了日本女篮球队员的孤立姿势，强调了她们身体的几何线条，把我们的注意力从比赛或练习中抽离，而转移到其动作所暗示的更抽象、更具想象力的可能性上来。

合被人看到自己的半裸身体。

荷兰艺术家丽莎·梅·波斯特（Liza May Post，1965— ）的照片和电影也有着如梦似幻的神秘色彩。她常利用量身定制的服装和道具，把表演者的身体垫高或扭曲成怪异的形状。在《阴影》（*Shadow*）[50] 中，两个人身穿男女不分的服装，所以我们无法知道他们的性别和年龄。前面的人穿鞋蹬在高跷上，身体前倾，非常不稳。后面的人倒是稳一些，但是一个爪子似的道具将他与一个带轮子和流苏边罩子的怪异物体连在一起，这个怪物延展了这个场景本身的脆弱感。照片的细节极为真实，宛如超现实梦境，细节的组合形成了视觉张力，构成了一个开放的叙事，留待观者自己来诠释。置景摄影最大的妙用之一，就是传达一种紧张而暧昧的戏剧感，让观众用自己的思考来阐释意义。

美国摄影家莎伦·洛克哈特（Sharon Lockhart，1964— ）在纪实摄影——其本质特征是直截了当地再现主体——中糅和了一些元素，使我们不禁质疑起纪实摄影的确定性。洛克哈特拍摄了一系列照片和一部短片来刻画一支日本女子篮球队，由此展现了她平衡事实与虚构方面的非凡功力——她正是以此闻名天下的。她框取了单个或多个球员的动作，对室内场馆做了相当的裁剪，使球员动作的性质和比赛本身变得抽象化。在《第 4 组：佐野绚香》[51] 中，洛克哈特把一个球员芭蕾舞般的姿势剥离出来，她的这一动作——可以理解为赛中动作——显得非常微妙，这或许完全是摄影师精心策划的姿势。这种疑惑渗透到了影像的意义当中，比赛的规则和纪实摄影的功能因此都被颠覆了。

为了让观者对影像的意义产生焦虑感和不确定感，编导置景摄影采用的一种画面技巧是，让所刻画的人物背对观者，他们的身份因此无从解释。在弗朗西斯·吉尔尼（Frances Kearney，1970—）的系列作品《五个人思考同一件事》（*Five People Thinking the Same Thing*）[52] 中，五个人都在简朴的居室内做着简单动作。照片没有展现这些身份不明者在想什么，观者只能自己去想象：从人物的姿势和所处的场所这些简单

图 52　弗朗西斯 · 吉尔尼，《五个人思考同一件事（3）》，1998。

微妙的细节去得出可能的合理解释。

汉娜 · 斯塔科 (Hannah Starkey，1971—) 的《2002 年 3 月》(*March 2002*)［53］采用了同样的手法。一个女子坐在东方餐馆里，背影笼罩在超现实的神秘氛围中。对于这位女子的身份，可能有这样的解释：她可能是一位等着约会的精致市民，也可能是艺术家想象出来的人物：灰色长发绕在肩头，活像从餐馆墙壁水景走下来的美人鱼。这幅编导的照片给人以这样一种意味：艺术家斯塔科对自己的观察加以充分发挥，对司空见惯的场景进行重设与修饰，构造出具有幻想色彩的戏剧性摄影画面，因此这令人熟悉的场景被赋予了想象的可能性。吉尔尼和斯塔科两位艺术家描绘的都是转过脸去的人物，因此我们无法得到足够的视觉信息，也就无法把握影像的重点——人物的性格化过程。相反，我们只能把室内空间、物件与人物可能具有的个性联系起来，去把握影像的意义。

图 53　汉娜 · 斯塔科，《2002 年 3 月》，2002。
斯塔科的置景摄影经过了充分的构思，她的创作过程是从建立一个场景的心理意象开始的。寻找场地、选定角色、设计现场，这些只不过是将艺术家心里早已成形的一幅图像付诸现实的具体执行步骤罢了。

围绕人物而布置的道具是证实他们身份的一种手段，而且是我们推断他们可能身份的唯一线索。

当代生活中的这种超脱世俗，也成为波兰裔美籍艺术家贾斯汀 · 库尔兰(Justin Kurland，1969—)作品的主题。她拍摄仙女般的年轻女子(尽管现在也常见上了年纪的男女出现在她的作品中)，场景是自然美景中的游乐天地［54］。绿草如茵，落霞灿烂。怀着对 1960 年代回归自然的生活方式的一丝怀恋，库尔兰编导拍摄了当代的田园牧歌般的生活画面。

英国艺术家莎拉 · 琼斯（Sarah Jones）［1］近年来创作的室内少女肖像，在意象和体验上，有意识地营造了真实与投射之间的紧张关系。《客房（床）1》(*The Guest Room［Bed］1*)［55］中，一位少女躺在床上，客房老旧，没有生活气息。可以看出，照片不是在少女自己的房间里拍摄的。在这里，床成了主题，其象征意义来自艺术史［让人想起马奈的

图 54　贾斯汀 · 库尔兰，《农场的公交车》，2003。
库尔兰营造了风景，描绘的角色基本上是女性扮演者，她们既像林中仙女，又像嬉皮美女，融合了当代和历史的元素，传达出一种世外仙境的感觉。

图 55　莎拉 · 琼斯，《客房（床）1》，2003。

《奥林匹亚》(*Olympia*)]，而宽大的床勾勒出的水平线，又让人联想到地景和海景的构图形式。少女的一头长发美丽自然，但与任何具体的当下时尚无关，这样设计，目的是为了保持她身份的暧昧性：既是典型，又是本人。同样，她的姿势是对琼斯编导的拍摄场景做出的某种自发反应，同时又看似借鉴了前摄影时期绘画和雕塑史中女性人物常见的侧身斜倚之态。

编导和纪实之间的这种关联性转换在谢尔盖·布拉特科夫（Sergey Bratkov）的《意大利学校》(*Italian School*) 系列［56］中也表现得非常明显，该系列作品是布拉特科夫在家乡乌克兰卡尔科夫的一所少管所里拍摄完成的。他从地方当局得到拍摄这些孩子的许可，前提是照片中要包括宗教训导的内容。这些孩子因贫困、偷窃和卖淫等原因被送到这个被高大篱笆封闭着的学校。布拉特科夫决定指导孩子们在校园场地里演出圣经剧，然后将他们的表演拍下来。

温蒂·麦克默尔多（Wendy McMurdo，1962— ）的《海伦，后台，梅林剧院（凝视）》[*Helen, Backstage, Merlin Theatre (the glance)*]［57］利用数字技术使画面同时出现女孩和她的分身。这是凸显编导置景摄影本质——影像被预先建构——的一个典型实例。舞台上，女孩一脸困惑地看着自己的分身（场景的布置暗示照片的编导本质，也暗示剧场空间的可转化性）。当编导置景摄影将集体恐惧和幻想视觉化，并重点展现神秘怪诞的时候，特别流行使用少男少女做主角。古巴艺术家黛博拉·梅沙-佩莉（Deborah Mesa-Pelly，1968— ）采用这种对视觉和心理产生强烈作用的手法，以年轻女性来重新演绎童话和流行故事，产生了令人不安的艺术效果。观者一眼就能辨认出，她使用的场景和道具来自儿童故事，比如在《绿野仙踪》(*The Wonderful Wizard of Oz*，1900）中桃乐茜穿的红鞋，这个故事在 1939 年被改编成流行电影；又或者金发姑娘睡的那间卧室，三只熊回来时把她惊醒了。梅沙-佩莉将场景摆布成传统故事里的熟悉样貌，但是用布光和窥探式的相机视角将之戏剧化，

56　谢尔盖·布拉特科夫，《#1》，2001。

布拉特科夫是乌克兰克拉科夫的一个艺术小组的成员(鲍里斯·米哈伊洛夫也是其中一员)，在他的作品里，艺术表演和纪实摄影发生了激烈冲突。在《意大利学校》系列中，布拉特科夫拍摄了他在少管所里编导的宗教剧的彩排。

图 57　温蒂·麦克默尔多，《海伦，后台，梅林剧院（凝视）》，1996。

图 58　黛博拉·梅沙–佩莉，《腿》，1999。

使之产生一种不祥之感。正如我们在图 58 中看到的，她还把不同的故事情节混编在一起：在金发姑娘或桃乐茜的腿边，蜷着童话剧中常见的狮子的一段尾巴，好似阳具一般。

安娜·卡斯克尔（Anna Gaskell，1969— ）的照片也具有这种强烈的叙事特征，她同时使用好几个编导置景摄影的常见技巧：选儿童做演员，有时候遮住他们的面孔，让剧情扭曲或变得令人恶心。这里展示的这幅影像出自《代理人》（*By Proxy*）系列［59］，故事取材于文学作品，改编自鲁道夫·拉斯伯（Rudolf Raspe，1737—1794）《吹牛大王历险记》（*Adventures of Baron Munchausen*，1785）中的人物萨莉·沙特（Sally

图 59　安娜·卡斯克尔，《无题 #59（代理人）》，1999。

Salt)，但也融入了真人真事：儿科护士杰尼瓦·琼斯（Geneva Jones）于 1984 年被控谋杀了自己的病人。这样的作品糅合了诱惑与恐怖、好女孩形象与护士制服的拜物迷恋，以及看似要急转成丑恶剧情的儿童故事。冲印的照片所呈现的实物之美，加上叙事所体现的暧昧道德观，给人以一种胆怯不安的视觉快感。这正是这种神秘怪诞题材的置景摄影的一个主要特征：作品在叙事意义上有社会颠覆性或反社会的，却往往又体现出丰富而诱人眼目的视觉美感。我们被作品的美深深吸引，沉醉于享受与欣赏之中，而无暇顾及其真正意义。

荷兰艺术家伊内兹·冯·兰姆斯韦德 (Inez van Lamsweerde，1963—) 与维努德·玛达丁（Vinoodh Matadin，1961— ）合作创作艺术和时尚摄影作品，他们在 1990 年代就使用数字技术进行美化，借此呈现令人不安的叙事。在《遗孀》(*The Widow*) 系列［60］中，一位可爱少女被打扮得完美无缺，成为一个兼具宗教、葬礼和时尚元素的复杂人物。这类情感强烈而又矫揉造作的艺术品的创作过程类似时尚界的工作方式。冯·兰姆斯韦德和玛达丁在确定拍摄风格之前，就设计了复杂的故事情节和人物说明，精心挑选演员和模特。从 1990 年代初开始，他们利用

图 60　伊内兹·冯·兰姆斯韦德、维努德·玛达丁，《遗孀（黑色）》，1997。
冯·兰姆斯韦德和玛达丁成功地创作了最具创新意义的广告和时尚摄影作品。她们同为创作者，但署名的艺术家却是冯·兰姆斯韦德（玛达丁则是合作者），这部分归因于艺术界对单一作者的偏好。

图 61　森万里子，《燃烧的欲望》，1996—1998。

数字技术进一步美化这些超凡脱俗的画面。时尚业要求他们创作快速，不断变化，以满足并提高这一行业不断实验不断出新的能力。他们的艺术创作项目目标更高、历时更长，不受商业委托计划或时尚要求的束缚。不过从某种意义上讲，时尚业所要求的摄影风格或手法的不断革新，给了他们不断探索新的视觉领域的艺术自由，而置景摄影只是他们近十年来采用的几种美学模式之一。

日本艺术家森万里子（Mariko Mori，1967— ）和杰夫·沃尔一样，也常常用灯箱来展示摄影作品。她的照片和装置艺术的制作水准堪比奢华的商业影像制作，也类似于当代时尚商店的建筑风格、商品布置的设计。远东传统艺术与当代消费文化的融合，构成了森万里子的鲜明风格。她精心选择艺术风格和文化参照物，使摄影师的视觉创新能力比肩于时装设计师和艺术导演。她的作品有一个常见主题，就是艺术家本人的角色表演，她常常是作品的核心人物［61］。森万里子在时装和艺术学院接受的学术训练，以及模特经历，赋予了她创造奇观艺术的能力，这类艺术是借鉴了消费文化而刻意创造出来的。

美国艺术家格利高里·克鲁德森（Gregory Crewdson，1962— ）曾说过，他那些精心编导的情节剧深受童年记忆的影响。他的父亲是一位心理分析师，办公室就在纽约家中的地下室里。克鲁德森常把耳朵贴在地板上，试图偷听并想象病人在接受心理辅导时讲述的故事。1990 年代中叶，克鲁德森在自己的工作室中搭建了郊区后花园和灌木丛的情景，以此开启置景摄影创作。这些照片荒诞怪异，又令人不安，还忸怩作态，富有娱乐性。毛绒动物和毛绒小鸟上演着怪异而不祥的仪式，而克鲁德

图 62　格利高里·克鲁德森，《无题（奥菲莉亚）》，2001。
在这幅作品中，克鲁德森在战后的美国城郊重新演绎了莎士比亚笔下的奥菲莉亚。《暮光》系列作品充满了这种精心布置的场景，这些场景借鉴了科幻电影、寓言故事、现代神话和戏剧。

森身体的石膏模型慢慢被昆虫吞噬，周围是郁郁葱葱的植物叶子。克鲁德森后来转向了更具编导色彩的模式。在他的黑白摄影作品系列《盘旋》（*Hover*）（1996—1997）中，他在郊外住宅区导演了怪异的偶发事件，从架在屋顶的升降机上往下拍摄。为创作最近的作品《暮光》（*Twilight*）系列［62］，他利用了类似电影摄制组的演职员团队。这部心理剧的成功，不仅有赖于仪式和怪诞事件的展现，还有赖于完成这些表演的典型角色的塑造。极有意义的是，《暮光》一书的后部有一个"纪录单元"，展现了《暮光》的整个创作过程，发布了演职员表，说明了每一幅照片的来龙去脉，由此证实，克鲁德森的编导式创作一如电影拍摄。

另一个美国艺术家查理·怀特（Charlie White，1972— ）创作了由九幅照片构成的系列作品《理解约书亚》（*Understanding Joshua*）［63］。玩偶约书亚是怀特参照科幻故事创造出来的半人类半外星人角色。约书亚被植入美国城郊青少年生活的场景中，他被怀特设定为一个自我厌弃、性格脆弱的人，而其朋友和家人似乎未曾留意到他的异常。作品不仅有戏谑色彩，而且还是对编导置景摄影中拍摄对象和创作者多为女性的这种强烈偏向的一种矫正。

日本艺术家伊岛薰（Izima Kaoru，1954— ）营造了优美而充满情欲的事故现场——事故导致身着名牌服装的女人死亡——以强烈窥视风格的场景安排，为作品注入了一种不同的男性气息［64］。这些幻想场景融合了具有诱惑性的摄影风格与一种从性别化视角表达的叙事。此外，伊岛薰给自己的系列作品所取的标题带有模特——常常是著名模特——的名字，或带有她身上服饰的设计师品牌的名字。这是艺术家在向 1970 年代以来的时尚摄影手法致敬：文化和商业之美的理念配以悲惨的社会叙事。

很多编导置景摄影师表达了含混的社会或政治立场，在英国艺术家克里斯托弗·斯图尔特(Christopher Stewart，1966—)的《美利坚合众国》（*United States of America*）［65］中，这一点也非常明显。大白天，旅馆房间的百叶窗紧闭，一个可能有中东血统的男人正偷看窗外，同时等

图 63　查理 · 怀特，《肯恩的地下室》，2000。
怀特的照片完成了艺术创作中的一桩困难重重的任务：为影像注入幽默感。在这幅照片中，怀特在童话故事的场景中重造了可爱动物的媚俗形象，对通俗明信片和挂历里故作多情的形象既批评，又迷恋。

图 64　伊岛薰，《作品第 302 号，身穿“保罗 & 乔”的奥雷娅》，2001。

图 65　克里斯托弗·斯图尔特，《美利坚合众国》，2002。
这幅照片是在安全专家的培训课上拍摄的。让人吃惊的是，光线具有戏剧化效果，室内也没有分散人注意力的细节——这可是斯图尔特在完全没有事先设计人物或改变室内环境的情况下拍摄的。

着电话铃响起。这好像是一次秘密行动，但合法与否我们不得而知。斯图尔特拍摄的私人保安公司（其成员来自退役和现役的民兵）照片，常被视为西方社会人心不安和妄想症状的当代讽喻。他的创作手法的有趣之处在于，他并不采取传统纪实摄影或新闻摄影的套路来描绘现实的安全状况，而是选择了场景编导的方式，赋予镜头中的监视行为一种强烈的戏剧感。

本章最后将着重讨论另一种编导置景摄影：作品不展现人物，而是在实体建筑空间内寻找戏剧性和寓意。芬兰艺术家卡特琳娜·博斯（Katharina Bosse，1968— ）拍摄了空荡荡的室内场景，这是专为性爱游戏设计的空间［66］。这些位于纽约、旧金山和洛杉矶的主题房间是合法出租的性爱场所。博斯的照片表现的是，性幻想——从私密空间转

图 66　卡特琳娜·博斯，《教室》，1998。
艺术家博斯拍摄的出租房间以性为主题，可以满足最流行的性幻想。她拍摄的是空无一人的房间，就像表演开始之前或结束之后的舞台布景。

换到机构空间——在本质上都是陈腐老套的。这就使博斯的作品有了一种深刻的解读：建筑空间包含了人类行为的痕迹，而这些行为将会产生故事。1990 年代中叶以来，瑞典艺术家米利安·贝克斯特罗姆（Miriam Bäckström，1967— ）采取了完全不同但彼此呼应的探寻形式，拍摄了博物馆以及家具店里改造过的房间。房间表面上看来很普通，但照相机的视角意味着，这照片一开始可能是住宅内部的记录照片，或者是不那么精心拍摄的商店广告照［67］。贝克斯特罗姆在这里邀请我们关注这个房间的合理性，由此思考家庭生活空间的机构化和商业化建构。我们通常认为个人品位和活动决定了生活空间，而照片中呈现的空间却是预先设定的。我们在住宅中所展现的个人身份，不仅可以被商业复制，而且很容易被模仿。加拿大人迈尔斯·柯立芝（Miles Coolidge，1963— ）的《安全村》（*Safetyville*）项目［68］描绘的废弃城镇有一种神秘感，荒无人烟，没有垃圾，也没有任何个人细节。安全村是加州 1980 年代

图 67　米利安 · 贝克斯特罗姆，《博物馆，收藏与重建，宜家博物馆，“穿越时代的宜家”，瑞典阿姆霍特》，1999。

图 68　迈尔斯 · 柯立芝，《警察局、保险公司和加油站》，出自《安全村》项目，1996。

建起的一种市镇模型（比例大约是真实市镇的三分之一），用于学龄儿童的道路安全教育。在柯立芝的照片中，企业和政府的招牌显得十分突出，给这个市镇增添了貌似真实的细节，强调商业和政府对当代西方生活的强大组织力甚至蔓延到了这伪造的城市空间里。

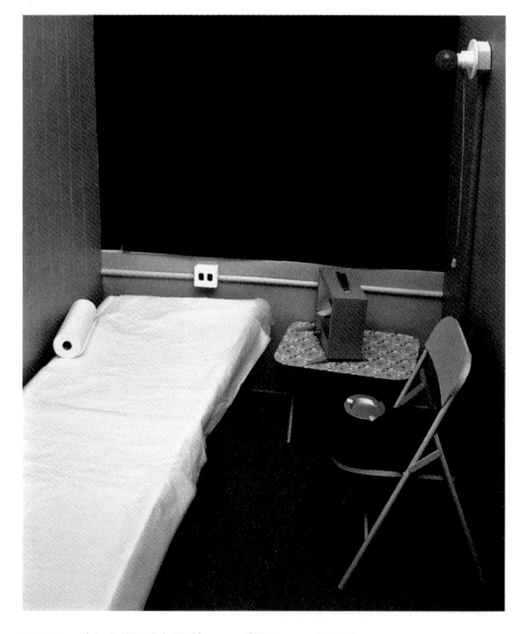

图 69　托马斯·迪曼德，《客厅》，1997。

德国摄影师托马斯·迪曼德 (Thomas Demand，1964—) 处理的题材是无处不在的无生命物体，主要是在建筑物内部的无生命物体［69］。迪曼德的创作从一张建筑物照片开始，有时候这张照片描绘的是一个特定空间，例如杰克逊·波洛克（Jackson Pollock）的谷仓画室，或是戴安娜王妃发生致命车祸的那个巴黎地下通道。他在工作室里用泡沫塑料、纸张和卡片来搭建简化的场景模型。有时候，他在这模型上留下些表示瑕疵的小标记，比如纸被撕开，或有缺口，提醒观者，这并不是完全可信的现场重现。然后，他把这个场景拍摄下来。虽然模型上没有磨损或污渍，而且可以辨认出这是用脆弱的材料制成的，因此没有任何实用性，但观者仍然被鼓励去解读这个空间以及里面可能发生过的人类活动的意义。即使内置的警示标志告诉我们，这是一个搭建起来的、并不真实的场所，但我们仍在寻找叙事形式，这就形成了一种高度自觉的态度。作为观者，场景的逼近以及作品本身的巨大尺幅，使我们不再是面对空荡荡舞台的观众，而成为反思这样一个问题的探索者：为了开启意义和叙事的想象过程，我们所需的实物可以少到什么地步，而摄影手法又可以多到什么地步。

图 70 安妮·哈迪，《装卸工》，2003—2004。

英国艺术家安妮·哈迪（Anne Hardy，1970— ）的作品描绘了貌似废弃的室内空间。和迪曼德一样，哈迪在工作室里搭建场景，设计照相机的位置，以保证不相干的东西不会出现在照片里。拍摄《装卸工》(*Lumper*)［70］这类照片的技巧，就是避免让影像承载过多明显的符号和寓意，但依然让观者有这样一种感觉（即使是错觉）：他们看到的是日常可见的真景，而不是精心构建的假景。哈迪先去寻找丢弃在城市街头的物品，用这些丧失了原来归属和用途的物品来搭建场景。这幅照片中的树木来自圣诞节过后数周的伦敦街头。整个空间看起来像是废弃圣诞树的储藏室，但是室内环境、绿色植物堆积成的充满危险感的形状，以及树木背后可能藏着的东西，促使观者不由得探究这会是什么地方，并感受里面

图 71　詹姆斯 · 卡斯贝尔，《粉红走廊 #3》，2000。
卡斯贝尔拍摄的小型模型把建筑空间缩减为脆弱的布景，消解了我们对人造空间坚固性和永久性的看法。

令人不安的氛围。

1970 年代末以来，美国艺术家詹姆斯 · 卡斯贝尔（James Casebere，1953— ）在工作室的桌面上搭建了用于拍摄的建筑模型。他特别研究移走了所有人类生活用品的机构化空间。在他拍摄的监狱小囚室和修道院小房间的作品系列中，场景被简化成单色的孤立环境，以强化等待的感觉，以及什么也没发生的感觉。《粉红走廊 #3》(*Pink Hallway #3*，2000)［71］是依照 19 世纪初马萨诸塞州寄宿学校菲利普斯 · 安多夫学院（Phillips Andover Academy）走廊而仿制的模型。卡斯贝尔去掉了建筑细节，用水淹没了整个场景，试图营造一种超现实的、幽闭恐惧症式的迷乱感。

德国艺术家鲁特·布里斯·卢森堡（Rut Blees Luxemburg，1963— ）采用基本的布光技巧和水面倒影，营造出辉煌的琥珀色都市建筑影像。《情诗》（*Liebeslied*）（1998—2000）作品是一系列独立但审美上相互关联的建筑场景。在作品《深入》（*In Deeper*）［72］里，观者仿佛站在河堤台阶顶端，看台阶的淤泥里留着的串串脚印通向泛着冷光的河水，这是利用侧光营造出的效果。卢森堡为 1920 和 1930 年代试验性和超现实地使用轻便闪光灯以来的都市夜景作品宝库增添了新的华丽之作。在此后的一个世纪，一个原则始终没有改变：用戏剧化的手法为都市夜景布光，从而强化空间的超现实感和心理冲击力。但是，每个时代有自己的艺术关注点和特定的叙事方式。卢森堡的这些充满神秘感的摄影作品从夜景摄影的历史中汲取养分，又将他当代的、个人的都市体验注入其中。

图 72　鲁特·布里斯·卢森堡，《深入》，1999。

图 73　迪塞尔 · 多伦，《靠近马蒂大道》，2002。

将刚刚发生的事件和一个地方的历史融合在一起，这是荷兰艺术家迪塞尔 · 多伦（Desiree Dolron，1963— ）的作品《靠近马蒂大道》（*Cerca Paseo de Marti*）［73］的叙事基础。它描绘了古巴哈瓦那的一间教室，空荡荡的椅子面对着黑板上用粉笔书写的激昂的政治口号，右侧是菲德尔 · 卡斯特罗年轻时的肖像。虽然这幅照片就叙事的政治性而言比迪曼德、卡斯贝尔、卢森堡、哈迪和博斯的作品更加直接，但它同样鼓励我们用想象来补全照片里空缺的人物，方法是充分利用这些人物留下的行为和思想的蛛丝马迹。多伦的这个拍摄项目是在古巴完成的，这个国家至今仍在进行一场持续 45 年之久旨在建设一个繁荣的独立国家的革命。在哈瓦那的建筑物上面的斑驳油漆和破裂结构所体现出的带有诗意的侵蚀中，她苦苦

图 74　汉娜 · 柯林斯，《时间的推移（6）（克拉科夫工厂）》，1996。

探寻着古巴文化的精神及其矛盾，还有日常生活不断政治化的迹象。

英国艺术家汉娜 · 柯林斯（Hannah Collins，1956— ）的室内静物和街景照片，对建筑类编导置景摄影的现象学效果的发展做出了重要贡献。她的作品尺幅很大，裱贴或直接印制在画布上，然后置于画廊的墙面上。《时间的推移（6）（克拉科夫工厂）》[*In the Course of Time，6 (Factory，Krakow)*]［74］这一作品的高度超过 2 米，宽度为 5 米。面对这样一幅作品，观者实际上与场景建立了一种身体的关系。照片上的波兰工厂虽然并不是实物大小，但给观者一种接近并将要进入画面空间

的感觉。这件作品也可能暗示了演出开始前的舞台布置。在 1990 年代，柯林斯的大部分作品都是对后共产时代的欧洲所做的思考，记录了被历史和当下事件改变的当代生活是如何在建筑空间留下印记的。将持久的和不断变化的劳动方式的符号融合起来，空间结构本身就包含了一部社会史。柯林斯的摄影作品正揭示并刻画了这个历史。全景画幅相机的使用有助于她达到这个目的，因为这种画幅要求观者以持续思考的方式进行观看——这也是艺术对观者提出的传统要求——通过这样的观看，我们就能发现人类行为和历史的种种微妙叙事。

图 75　塞里内 · 凡 · 巴伦，《穆阿泽》(*Muazez*)，1998。(参见 129 页)
凡 · 巴伦为阿姆斯特丹临时住所的居民拍摄了肖像，包括了一系列穆斯林少女的齐肩肖像。她选择用刻板而无表情的审美取向来刻画女孩们，借此强调了她们面对相机以及置身当下社会时努力表现的冷静沉着。

第三章　无表情外观

过去十年出于画廊展出目的而创作的摄影作品的数量远远超过历史上任何时期。这些作品体现出的最突出的风格，或者使用最频繁的风格，就是所谓“无表情外观”美学风格：一种冷静、超然、犀利的摄影类型。当这些照片印在书上时，细节难免有损，读者只能将就。但我们不能忘记在欣赏那些尺幅巨大、清晰度令人屏息的照片原件时所感受到的那种深深震撼。从本章所展示的照片里，观者仍然能够一窥摄影师看似超然的情绪和自制。无表情外观美学风格让艺术摄影远离了夸张、感伤和主观的表现手法。这些照片展现在我们面前的也许是感情丰富的主体，但我们感受到的摄影师的情绪不再成为我们理解作品意义的明确指南。于是，这种摄影的重要意义在于，作品成了超越个人视角局限进行观察的方式，成了展现统御这个人工和自然的世界的种种力量的工具——这样的力量，站在人类的立场上是无法看到的。无表情外观摄影所能处理的题材也许是极为特定的，但其所呈现的中立观和史诗观却是具有史诗意义的。

无表情美学流行于 1990 年代，特别常见于对风景和建筑题材的处理。如今回看起来，这种摄影形式包含的元素显然契合了那十年里画廊和收藏界的氛围，契合程度之深，将摄影推到了当代艺术中更为重要的地位。艺术界生发的一种开启新的潮流以取代既有的“运动”的动力，极为有利地推动了 1990 年代初期无表情摄影的发展。1980 年代，艺术界的重心是在绘画和所谓新表现主义、主观主义的艺术创作，在那之后，客观的、临床医学般冷静的摄影样式，重新焕发了生机和活力。1980 年代中期以来摄影作品尺寸不断增大，这不仅使摄影进入了绘画和装置艺术的阵营，而且在日益增加的新艺术中心和商业画廊中占据了一席之地。这些照片的题材涵括了工业、建筑、生态和娱乐业场所。这些通常由工业仓库和厂房改造而成的建筑物，现在成了当代艺术的展厅，气势宏伟，魅力非凡，本身几乎也是无比完美的、自我指涉的艺术品。无表情摄影作品在技术上无可挑剔，呈现方式上新鲜质朴，视觉信息丰富，存在感强烈：这些特点令它们非常适合于安放在画廊这新的高雅场地供人欣赏。

尽管艺术界已经在 1990 年代初期接受了无表情的摄影方式，但当下一流的无表情摄影师在此前至少五年的时间里一直默默无闻。我们今天所看到的无表情风格，常常被描绘成“德国式”的。这个说法不仅表明了此领域很多重要人物的国籍，而且明确指出其中很多人师承德国杜塞尔多夫艺术学院的伯纳德·贝歇（Bernd Becher）。这所学校在摄影教育改革方面发挥了重要作用，使摄影教育不再局限于职业和专业技能教学（例如新闻摄影），鼓励学生创作独立的、以艺术为导向的摄影作品。“德国式”说法也指涉了 1920 和 1930 年代所谓“新客观主义”（Neue Sachlichkeit）的德国摄影传统。阿尔伯特·伦格尔-帕奇（Albert Renger-Patsch，1897—1966）、奥古斯特·桑德（August Sander，1876—1964）以及欧文·布鲁门菲尔德（Erwin Blumenfeld，1897—1969）是当今最常被提及的无表情摄影的先驱。他们的手法是百科全书式的：通过持续拍摄单一的主题，他们开创了自然、工业、建筑和人类社会的类型学影像的先河，对当代艺术摄影产生了最深远的影响。

正如前言中讨论的，贝歇夫妇在当代无表情摄影的形成过程中，曾经而且继续发挥着极大的影响力。本章讨论的很多摄影师，包括安德烈 · 古斯基（Andreas Gursky）、托马斯 · 鲁夫（Thomas Ruff）、托马斯 · 斯特鲁斯(Thomas Struth)、坎迪达 · 霍佛尔(Candida Hoffer)、阿克塞尔 · 赫特(Axel Hütte)、格哈特 · 斯特朗伯格(Gerhard Stromberg)和西蒙尼 · 聂维克（Simone Nieweg）等人，都是贝歇夫妇的学生。从 1957 年至今，贝歇夫妇合作拍摄了一系列黑白摄影作品，题材是德国前纳粹时期的工业和民间建筑，如水塔、储气罐和矿井通风井口（参见图 6）。一个系列当中的每座建筑都是以同一个视角拍摄，每张照片都有拍摄笔记，这就系统地创立了一种类型学。贝歇夫妇的作品被收录 1957 年从美国开始的巡回影展《新地形学：人为改变的风景的照片》（*New Topographics: Photographs of Man-Altered Landscape*）之中。这次巡回展是摄影界纪念欧洲和北美摄影师的贡献的一次早期尝试，他们的贡献是：重新回到地形学和建筑摄影这些类型上，并赋予它们当代城市生活的意义，同时暗示了工业对生态造成的后果。意味深长的是，这些社会和政治问题是在画廊的语境中以概念艺术的话语来提出的。从这一社会和政治的角度来看，当时的摄影师摒弃所谓的个性化摄影风格，转而使用中立、客观的摄影手法，就不难理解了。

当代无表情摄影的先锋人物是摄影师安德烈 · 古斯基（1955— ）。1980 年代末，古斯基趋向于印制大尺幅照片，在整个 1990 年代把照片尺幅推向了新高度。今天，他的一幅照片往往有 2 米高、5 米宽，是气度不凡的庞然大物，常令人不由得驻足观看，而他本人也成为这类大尺幅作品的代名词。古斯基的摄影作品把传统技术和新技术结合起来（他一直使用大画幅相机，以求获得最佳的清晰度，并使用数字处理技术来修饰润色影像），使作品具有迄今为止为商业广告摄影所特有的流畅感。不同寻常的是，古斯基的作品首先不应被视为一个系列中的一部分。相反，像画家的画作一样，他的每一件作品都是他精心完成的得意之作。所以，他发表的每一幅照片都有助于提升他整体作品所享有的崇高声誉。古斯

图 76　安德烈 · 古斯基，《芝加哥，同业公会（2）》，1999。

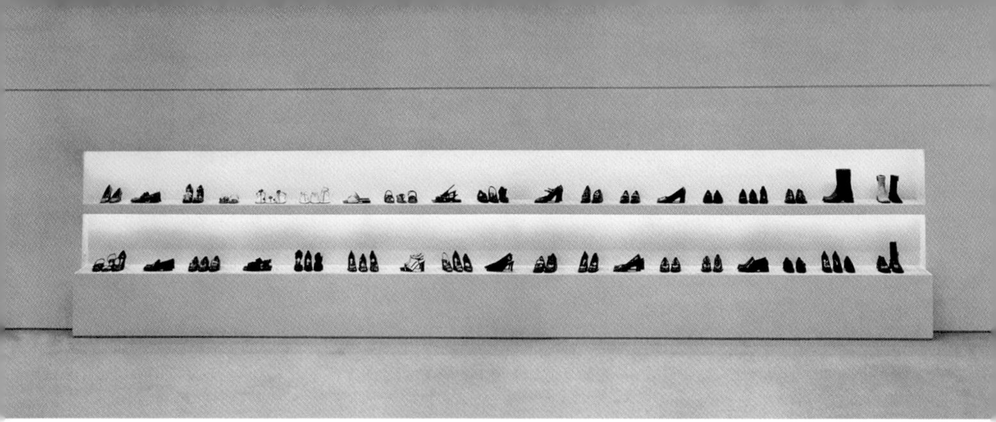

图 77　安德烈·古斯基，《普拉达（1）》，1999。

基以此规避了使用新的拍摄策略的风险，这种风险是大多数摄影师在创作风格迥异的作品时可能遭遇到的。一个新系列也许会让一个摄影师的创作实践进入未知领域，但公众一旦接受，就会不自觉地同其早期作品相比较。如果人们觉得这些作品前后矛盾，或者认为摄影师仍陷于同一种艺术理念，这种比较就可能是负面的，将削弱他在艺术界的总体地位。而古斯基的作品主题前后连贯，给人以独特的视觉体验，这种完美的一贯性毫无疑问地促使他在商业和批评界大获成功。

不过，古斯基的重要性不仅来自他影像的完美，更来自他的非凡能力：周游世界寻找拍摄对象，让我们相信，唯有他所选择的视角才能把每个场景最全面地描绘出来。特征鲜明的有利视角也是他最重要的创举：从一个观景平台俯瞰远景以及工业、休闲和商业场所，例如工厂、股票交易所［76］、旅店和公共场所。古斯基往往让我们远离他的拍摄对象，我们完全不参与其中，我们只是一群超然的、挑剔的观众。从这个立场出发，作品并没有要求我们解释对一个地方或事件的个人体验。作品给了我们一幅被某种力量控制的当代生活的图景，这种力量，我们处在茫茫人群中是无法看到的。画面中的人物通常很渺小，密集地挤在一起；你分辨出的个别动作或姿势，就像音乐表演中组成和弦的一个个音符。这些作品栩栩如生，让我们感到自己仿佛全知全能：像是站在乐队前的指挥一样，能够把场景看成是一个由细小的部分组成的整体。古斯基在创作时摆脱了单眼透视视角的局限（这种视角是对人类视觉的虚假模仿，传统上认为摄影具有这种优点），但这不是简单地向后退到史诗般的远距离中就能达成的。近年来，古斯基的作品中也出现了其他类型的照片，特别是那些令我们感到戏剧性地逼近拍摄对象的照片，比如有的照片将昔日绘画作品中的细节放大，让我们陷入一种几乎迷失方向的二维空间中。古斯基还自己搭建布景，比如在《普拉达》（*Prada*）系列［77］中，他将拍摄对象放置于人类习惯的高度和距离，这是前所罕见的做法。从这个冷静、客观的假想世界散发出的均匀光线有力地映照出商店橱窗这座当代神坛的精神贫瘠。

古斯基虽然主导了我们对无表情摄影的认识，但他并未独占这种摄影风格或题材范围。很多摄影师同样被这种以大画幅相机的全面和精确来分析世界的做法所吸引，却不一定都使用数字后期制作。沃尔特·尼德迈（Walter Niedermayr，1952—）的巨幅照片主要着眼于当代旅游业，画面描绘了我们的时间，特别是工作以外的时间，是如何冷漠又不安地受到各种力量支配的。在次页展示的照片中，白雪覆盖的山上，那些木

图 78　沃尔特·尼德迈，《瓦尔托朗（2）》，1997。
作为一名艺术家，尼德迈捕捉到旅游业对山区风景的侵蚀。他营造了一种全景式的呈现，其夸大的尺幅和对奇异地形的刻画，与风景绘画和19世纪地形学摄影的审美有着异曲同工之妙。同样，他的作品也是关于现代商品化以及人类对自然的入侵。

图 79　爱德华 · 伯汀斯基，《油田 #13，加利福尼亚州塔夫特》，2002。

屋和靠休闲娱乐带动的社区看上去像是广袤风景中脆弱的多余之物[78]。

尼德迈从超然的距离拍摄木屋小村，表达了观看一个玩具城或建筑模型的视觉体验。他对人类的欲望提出了质问：当我们度假时，我们一方面想得到无拘无束身处自然的感觉，另一方面又不想放弃那些触手可及的舒适和安全感。尼德迈的作品充当了图解的作用，揭示了那种仿佛在大自然中获得自由的个性化体验，其实是受我们在每天工作当中都体会得到的同样布局的建筑、路线和市镇规划环境改造的力量所左右。同样，布雷吉特·史密斯（Bridget Smith，1966— ）以拉斯维加斯机场的照片来表现对拉斯维加斯建筑物的探索[80]。远处地平线上有一排赌场旅馆，建筑物小得有些滑稽，埃及金字塔、狮身人面像以及曼哈顿的摩天大楼都挤进了拉斯维加斯赌场狭长地带的建筑群中。史密斯选择在白天，而不是更有神秘美感的灯火通明的夜晚来拍摄，让人对这座城市产生一种直白而不加渲染的印象。

在爱德华·伯汀斯基（Ed Burtynsky，1955— ）拍摄加利福尼亚油田的作品[79]中，人造风景被工业所占据，满布地表的输油管线和电线杆一路延伸到背景中远处的山脊上。社会、政治和生态问题融入他的主题当中，然后作为当代生活后果的客观证据被形象地表达出来。以当代的眼光看来，这就是明显中立的摄影立场的主要用途之一。对于观看者而言，这类摄影作品提供了看似公允、却有争议的叙事信息。无表情摄影往往采取这种陈述事实的方式：摄影师个人的政治见解体现在他们对主题的选择，并期待观众能对其主题做出分析，而不是通过文本或摄影风格进行露骨的表达。

日本艺术家太加西·轰马（Takashi Homma，1962— ）拍摄了日本新建郊区住宅[81]，以及按规划布置的井井有条的周边风景。他把照相机摆在较低的拍摄位置，在场景内空无一人的时候才按下快门，为郊区外围住宅赋予了一种凶险的色彩。新建成的感觉，随时可入住的蓝图式生活方式，随处可见。轰马发展了最早出现于 1970 年代的创作理念，

图 80　布雷吉特·史密斯，《拉斯维加斯机场》，1999。

图 81　太加西 · 轰马，《神奈川湘南国际村》，1995—1998。
轰马呈现了日本郊区一座通勤者新城毫无表情和人情味的景致。这些荒废的住宅开发区以及来自这些地区的孩子和宠物的照片，没有任何亲切感和生机。

当时，住宅发展和工业用地政策的去人性化，被摄影实践冷静地分类记录下来。这一阶段早期的重要人物之一，是美国摄影师刘易斯 · 巴尔茨（Lewis Baltz，1945— ），他因为参加了 1975 年《新地形学：人为改变的风景的照片》展览而在国际上赢得认可。在接下来几十年里，巴尔茨成为以批判态度改造美国风景和建筑摄影的最有影响力的鼓动者之一。他那些冷冰冰的黑白照片映现了工业和住宅发展对旷野的令人不安的入侵。巴尔茨在 20 世纪七八十年代的作品跟贝歇夫妇的作品一样影响深远，他充分利用了摄影这一媒介的纪实能力，以准确的观念刻画了飞速变化的社会环境，在艺术界获得地位。1980 年代末，巴尔茨从美国移民欧洲后，经常从事彩色摄影创作，呈现实验室和工业中新出现的高科技环境，例如下面这幅照片就来自他的《电力供应》（*Power Supply*）系列［82］。

图 82　刘易斯 · 巴尔茨，《电力供应，No.1》，1989—1992。

这幅影像的色彩和简单的几何图形，凸显了美国和欧洲无表情摄影之间的密切关系，同时也凸显了两地的无表情摄影的共同关切：如何以视觉形象展示当代生活的管控方式。在这幅影像中，“清洁的”工业形成了一个完美但令人不安的世界。

图 83　马蒂亚斯 · 豪荷，《莱比锡 #47》，1998。

对巴尔茨来说，向彩色摄影转型是必要的，从此，他把注意力转向“整洁的”工业环境奇观，以及数据在这些朴素空间中进行整理和分区的感觉。

德国艺术家马蒂亚斯·豪荷（Matthias Hoch，1958— ）的当代生活类型学，典型地集中在建筑物细节和内饰上。《莱比锡 #47》（*Leipzig #47*）［83］有一种明显的几何性和映象感。透过遮挡屏风的散射光线让前景中的杆子扁平化了，强调了现场空间微妙的戏剧化效果。这幅作品拍摄于无表情摄影处理建筑题材时的特定瞬间：建设工作已完成，空间已按照某种意图来设计，但尚未投入使用，也尚未做出异质化的内饰定制。也许豪荷对这个具有远东式不对称性的空间的刻画，带有某种讽刺的意味：设计师要营造禅意，给身处其中者留下一种宁静感。

杰奎琳·哈辛克（Jacueline Hassink，1966— ）仍在进行中的《心

图 84　杰奎琳·哈辛克，《罗伯特·本穆沙先生，纽约大都会人寿保险首席执行官，2000 年 4 月 20 日》，2000。

图85　坎迪达·霍佛，《马德里PHE图书馆之一》，2000。
这幅影像刻画了西班牙马德里的一所现代大学图书馆。霍佛拍摄历史和当代建筑空间，而且间或凸显新近建筑中的古典结构，例如这个类似圆形露天竞技场的书架结构。

像》(*Mindscapes*) 项目，对跨国公司内部建筑空间的公共用途和私人用途做了大量调查［84］。哈辛克向美国和日本的100家公司提出拍摄10个房间 (包括首席执行官的家庭办公室、档案室、会客室、会议室和餐厅) 的申请。哈辛克将收到的拒绝和同意回复制成图表，呈现在她获准拍摄的那些房间的照片旁边。通过这种系统化的创作手法，艺术家为我们清楚展示了这些公司的共通之处 (不论它们的业务性质如何)，让我们从每家公司的空间划分方式看出了它们的价值观。例如，董事会开会是围着圆桌，还是围着一个外形更符合等级制的桌子？这是一家以木镶板装点空间的传统公司，还是一家以高科技的极简主义装饰风格来暗示其前瞻和进步的商业模式的企业？

坎迪达·霍佛（Candida Höfer，1944— ）用超过15年的时间一直拍摄文化机构，由此她创建了一套关于这些机构——各种收藏品在此储存和利用——的空间档案［85］。直到最近，她才开始用大画幅相机创作，以当代摄影界流行的大尺幅输出作品。随着她对大画幅相机的使用，越发单一的色域成为其作品的标志，突出了这种最清晰的摄影画幅所强调的极高的图像描绘能力。霍佛在使用手持式中画幅相机的过程中形成了这一手法，这使得她在工作的时候既不被人察觉，又能直觉地寻找到最好的视角，以充分描绘她在这些空间中的发现。这种手法贯穿于霍佛的所有作品中，借此，她在建构影像时，为那些出人意料的元素留下了空间。霍佛镜头中清晰而繁杂的室内场景，让人久看也不会产生枯燥厌烦之感，因为她在选取的视角中保留了空间的怪异和矛盾。有时候只要通过选择拍摄位置便可达到这个效果——她很少采用居中视角，所以，建筑本身虽然对称，而我们所看见的空间却有微妙的失衡感。

无表情摄影具有一个非凡的能力：以挽歌的风格来展现人造世界的奇妙。20 多年来，畠山直哉（Naoya Hatakeyama，1958— ）一直在祖国日本拍摄城市和重工业场景。他的《无题》（*Untitled*）系列始于 1990 年代末，一直创作至今。他以网格化排列的小照片来展现东京的鸟瞰景

图 86 畠山直哉，《无题，大阪》，1998—1999。

图 87 阿克塞尔·赫特，《巴特西流浪狗之家》，2001。
赫特的城市夜景摄影作品被印放成巨幅透明片，然后装裱在反光的表面上，影像的亮部区域可以反光。这就为作品平添了一种微妙的亮度，似乎是从城市散发出来的。

象，以此来象征可以拍出的有关混乱不堪、无法梳理的城市布局的无尽影像。畠山直哉还与建筑师伊东丰雄（1941— ）合作，拍摄伊东丰雄尚在施工中的建筑，对建筑概念和结构进行思考。《无题，大阪》(*Untitled, Osaka*)［86］从高视角俯瞰正被改建成样板房区的一个棒球场，呈现了酷似古典废墟的当代居住区风貌。摄影师以非凡的观察力拍出了这张扣人心弦的照片，让我们窥见了无论近身接触还是身临繁忙都市深处都无法一见的场景。

1990 年代中叶，阿克塞尔·赫特（Axel Hütte，1951— ）以长时间曝光技术拍摄的一系列城市夜景照片，为无表情摄影带来了新元素。这些照片被制成透明片置于反光体表面，于是从影像的透亮区域可以看到产生镜子般的反光，产生非常耀眼的效果。虽然夜景摄影有一种不言而喻的戏剧性——读者可能无法立刻将此与本章的主题联系起来——但这是无表情摄影用以呈现我们无法用肉眼感知到的事物的一种方式。从赫特拍摄的伦敦巴特西流浪狗之家的照片［87］、畠山直哉的《无题，大阪》，以及本章的所有作品中我们都能看到表现这样的效果，这是摄影师长期敏锐地观察世界的结果，摄影师举着相机对拍摄主体驻足思考，探索所描绘场景的活力和特色。

从 1990 年代末以来，英国艺术家丹·霍兹沃斯（Dan Holdsworth，1974— ）一直在拍摄过渡性建筑空间和偏远的风景。这些区域往往被称为"衔接空间"（liminal spaces），存在于机构或商业边缘地带的空隙之中，我们的方向感在此也变得混乱。在这幅新城外购物中心停车场的照片［88］中，夜色与停车场具有相同的短暂性，也是霍兹沃斯拍摄这一繁荣空间的最佳状态。他把相机设定成长时间曝光模式，停车场和车流的灯光被刻画成散射光。图像有一种明显的非人间氛围，仿佛向我们展现了无法用肉眼看到的本质。人们不会问是"谁"——而会问"什么"——拍了这张照片，感觉好像这令人不安的、被污染的夜景是被机器——或许是一台监控摄像机——记录下来的。

还有一些无表情摄影师把重点从经济和工业场所转向了不那么显眼的当代题材。他们拍摄风景和历史建筑，因为它们有一种固有的特点：在这里时间被层叠和压缩了。我们看到的不仅是摄影师按下快门时的那一瞬间，还有他们对四季更迭以及过往文化和历史事件的记忆的描绘。

30 多年来，美国摄影师理查德·米沙拉奇（Richard Misrach，1949— ）创作了大量风景和建筑物的摄影作品，他特别关注美国西部及其所代表的传统。通过拍摄遭到破坏的风景和遭到掠夺的自然资源，他的政治观和生态观得以体现。1998 年，米沙拉奇接受自然保护协会（Nature Conservancy）的委托，拍摄内华达沙漠中的历史景观"战场核心"（Battleground Point，这是美洲土著托蒂卡迪部族一场传奇战役的发生地），近期因洪水爆发而满目荒凉。在米沙拉奇的作品［89］中，沙丘遮挡了残滞的洪水，颠覆了我们对沙漠风景的期待，也为场景赋予了一

图 88　丹 · 霍兹沃斯，《无题（生存机器）》，1999。

图 89　理查德 · 米沙拉奇，《战场核心 #21》，1999。

种怪异的荒凉感。由此，他表达了即便是如此巨大且历史悠久的景观，也有可能被改变的想法。他以自己的客观立场见证了这个讲述着自己的故事的现场——只有用一点不带强烈个性化夸张意味的摄影风格才能对此做完美的视觉展现。

托马斯 · 斯特鲁斯（Thomas Struth，1954— ）的摄影作品贯穿始终的特色，就是有意识地营造构建图像的条件。不论是 1980 年代和 1990 年代初他把相机架在杜塞尔多夫、慕尼黑、伦敦和纽约的街道中央拍摄的街景，还是在日本和苏格兰拍摄的正式的家庭肖像，他的作品让人意识到，我们所观看的不仅是一个个被清晰刻画的对象，也是它们折射出的摄影形式。斯特鲁斯的主体总是很有趣，让人兴奋，但很少是能让观众能全身心沉浸其中的。艺术家的创作目的不是让我们有身临其境之感，或者对他所展现的关系感同身受，也不是用影像来表现某一重要时刻，而是让我们惊讶于照片的视角，惊喜于仔细观看照片所带来的愉悦。斯特鲁斯有关美术馆和参观者的摄影作品主要揭示了集体文化行为。例如在《柏林帕加蒙博物馆》（*Pergamon Museum，Berlin*）［90］中，我们看到了古希腊雕塑和建筑，但艺术家所表现的却是当代社交姿态与远古社会宏大的文明遗迹的相遇。照片中人物呈现的是公开场合的姿态，却有一种奇怪的孤独感，仿佛独立场馆，独自观看着历史的奇观。

斯特鲁斯的《帕加蒙》系列凭借单调乏味的、近乎单色的色系将不同时代融合在一幅影像中。这一点在约翰·罗迪（John Riddy）最近从黑白转向彩色的摄影创作中也很明显。他曾对彩色建筑摄影持保留态度，

图 90　托马斯·斯特鲁斯，《柏林帕加蒙博物馆之一》，2001。
在这幅描绘前来艺术机构参观的观众的影像中，斯特鲁斯以一种貌似中立的方式框取了这个场景，于是，在我们审视整个场景时，会觉得自己的观看举动与博物馆参观者的行为不同。当斯特鲁斯的这些刻画博物馆展厅的照片悬挂在博物馆和画廊时，尤其容易引起观众的共鸣，因为它们让观众产生了一种审视自己的文化行为的自我意识。

图 91　约翰 · 罗迪，《马普塔（火车），2002》，2002。
在罗迪拍摄的建筑物的照片中，他给照相机找到了一个最平衡的视角。这种刻意的抉择，使我们不容易觉察摄影师对于这一场景（或与之相关）的观点与反应，其目的是让观看者同拍摄对象产生直接的关系。

因为彩色容易把场景固定在一个具体的时间上。罗迪感兴趣的是，摄影所具有的融合时间并唤起空间背后的历史的能力。在《马普塔（火车），2002》（*Maputa [Train]*，2002）[91] 中，绿松石色的油漆和长椅，成了这个殖民地某个历史时刻的渐淡痕迹。当下的时间用影像正中间的火车车厢来呈现，我们都知道，这个元素很快也会消失得无影无踪。罗迪从一个严格精确的角度来拍摄作品，建筑物由此呈现出一种对称。这种自觉的选择就是在承认一个事实，某些角度能让观众更清楚地知道摄影师的视点（或者经验），而有些则不会。建筑物废墟也会出现在一些更戏剧化的影像中，例如加布里埃尔 · 巴西利克（Gabriele Basilico，1944—2013）1991 年拍摄的贝鲁特街景 [92]。从屋顶拍摄的城市，呈现为人口稠密、排列密集的狭小区域。借助巴西利克对这个场景的清晰呈现，我们看到的是轰炸造成的满目坑洼的景象，这是 20 世纪末这座城市的历史见证，如同日常生活的喧嚣布满道道疤痕。巴西利克选择这一视角，对于引导我们解读这一影像非常重要。他找到一个位置，把道路和人类活动的迹象置于画面中心，并使其向地平线延伸。他利用这一手法强调了在这座因战争而体无完肤的城市，人们是如何地坚韧不屈。

从 1986 年以来，西蒙娜·聂维克（Simone Nieweg，1962— ）一直将创作重心放在她的祖国德国下莱茵河地区和鲁尔区的农业景观上。虽然她偶尔也拍摄其他地区的风景，但还是偏爱在居住地附近进行拍摄，以便她进行长时间的探索。聂维克对无表情审美的偏好，加上自然风光的清晰视野和来自阴暗天空的漫射光，完全与她细微的观察和思考相契合。她熟知印象派绘画作品中的先例，努力在风光中寻找类似的重复形

图 92　布里埃尔·巴西利克，《贝鲁特》，1991。

图 93 (对页上图)　西蒙娜·聂维克,《羽衣甘蓝田,杜塞尔多夫—卡尔斯特》,1999。

图 94 (对页下图)　清野贺子,《东京》,1997。
清野贺子的作品往往包含一些矛盾的元素:她拍摄了被工业污染的自然界,由此她揭示了这些地区的有机生命为了存活下去而开始演化的现象。清野贺子这种不张扬的审美,意味着这些表现顽强存在状态的影像是微妙的,而并非张狂的。

式,她的作品特别重视矮树篱和林地的平面质感,以及犁沟和庄稼的线性布局。这些深深嵌入土地的标记,不仅为她的影像营造了结构,而且为她提供了有利的拍摄视角。她的影像常常展现农业秩序的小部分瓦解,如《羽衣甘蓝田,杜塞尔多夫—卡斯特》(*Grünkohlfeld, Düsseldorf–Kaarst*)[93],她把一块受污染的菜田安排在前景中央,巧妙地隐喻了大自然对农业耕作的抗拒。

日本艺术家清野贺子(Yoshiko Seino,1964—)的作品常常展现大自然收回人类开发和改造的土地之后的景象,从而颠覆了人们对于自然与工业之间的这场战争的结果的期待。她选择那些不确定的边缘空间进行创作,借此来表明,她要强调的不是建筑或工业场所的衰败故事,而是这样的隐喻:由于人类不管不顾任其荒芜,这些场所得以重返自然[94]。德国艺术家杰哈德·斯特朗伯格(Gerhard Stromberg,1952—)在摒弃了个

图95　杰哈德·斯特朗伯格,《低矮灌木林(国王森林)》,1994—1999。
斯特朗伯格常常在乡间散步,非常熟悉四季更替和农业生产对自然风光的影响,这也触发了他对这些场景的深深感情。

人摄影风格的情况下展现了一片人造风景（例如一片杂树林，这里种的树是为了将来砍伐）[95]，结果，这幅影像就好像未经摄影师之手直接展现在我们眼前一样。风景是艺术的传统题材，也是隐喻意义的载体，斯特朗伯格通过前景中令人不忍直视的树桩和背景中稠密树林屏障的呈现，为这幅作品提供了潜在的叙事。

英国艺术家杰姆·索瑟姆(Jem Southam，1950—)的《画家的水池》(*Painter's Pool*) 系列是在林地拍摄的作品，呈现的是一个半径25米的池塘在一年不同时间里的状态［96，97］。英格兰西南部的这个地方看起来杂草丛生、未经耕耘，一位画家曾拦蓄建成了一个池塘，独自一人在此作画。索瑟姆在一年时间里对这个地点进行了类似的摄影调查。可以看到的是，这里只留下画家到访的些微迹象，例如他摆放画材的烫衣板。索瑟姆的照片似乎与画家面对的窘境相呼应（他在此地的创作活动持续了20多年，最近才完成了第一幅水池画作）：摄影家向我们展现这个现场的状况、气候的变化、季节的更迭和光线的流转，每次来此都能拍到新的画面。《画家的水池》是索瑟姆创作手法的典型代表。他在拍摄地点花了大量时间，在整个项目进行过程中，他对整个状态的变化越发敏感。每幅照片都传达出他每次靠近和重新观看这个地方时的那种奇妙感。

韩国艺术家权卜孟（Boo Moon，1955— ）1990年代末拍摄的中

图96（左）和97（右） 杰姆·索瑟姆，《画家的水池》，2003。

图 98　权卜孟，《无题（东海）》，1996。
该系列的每一幅海景照片中都把地平线放置于画面中央，天空的风云变幻和海浪的图案成为影像里唯一可解读的变化元素。

国东海系列作品［98］也有异曲同工之处，该系列也表达了我们对于场景的感觉是如何受光线更迭和水流运动主导的，并强化了一个观念：自然有无穷的力量，任何人都无法驾驭。艺术家用这样的摄影策略来思考大自然不可知、不可控的本质。有意显得不合时宜的是，这些影像不依赖于当代经济、工业或行政管理的任何视觉符号，甚至与过去也无丝毫瓜葛，而借助一些迹象，使我们与深奥而不稳定的世界认知概念发生联系。

克莱尔·理查德森(Clare Richardson，1973—)的《西尔万》(*Sylvan*)系列［99］，拍摄于罗马尼亚的一个农村地区，具有令人不安的效果，因为这些照片反映的是一个数世纪来罕有变化的世界的当下状况。理查德森的影像用明澈的视野，揭示了这些与世隔绝但运转正常的地区与前现代生活之间强烈的视觉联系，同时避免了过分的感伤或嘲讽。对当代摄影师来说，风景主题的崇高与浪漫，同一种鲜明的、主观色彩并不明显的摄影风格之间的微妙平衡，成为一片创作沃土。卢卡斯·亚桑斯基(Lukas Jasansky，1965— ）和马丁·波拉克（Martin Polak，1966— ）的《捷克风景》（*Czech Landscapes*）［100］，专注于捷克共和国后共产

图 99　克莱尔·理查德森，《无题 #9》，2002。
这一系列表现罗马尼亚村庄和农田的巨幅照片，在风景之美（并没有因现代生活而发生变化）和严格的无表情审美之间取得了平衡。就像这一章里的很多摄影作品一样，历史和当代在照片中融为一体。

主义时期的土地利用和所有制议题。值得注意的是，两位摄影师仍以在东欧更为流行的黑白摄影方式进行创作，不同于商业上更为发达、彩色摄影更为常见的西方艺术中心。在某种程度上，亚桑斯基和波拉克的捷克建筑和风景作品，与贝歇夫妇从 1960 年代以来的创作实践有着类似的两重性：一方面与他们的艺术观念框架有关，另一方面对一个国家的变迁中的保护运动做了记录。他们的作品让人觉得，以往，土地按照变化不大的方式进行管理，如今却受到了晚期资本主义的冲击。

托马斯·斯特鲁斯的《乐园》(*Paradise*)［101］系列，展现了森林和丛林，林木的密集程度和他选择从近处框取其中一部分的方法，营造了他所谓的“沉思的隔膜”(membranes for meditation)。这些作品和他在 1980 年代拍摄的荒凉街景有共同的效果，他当时试图创作一组摄影作品，为人们提供复杂视觉场景的浓缩体验。在《乐园》中，每一个有机元素似乎都联系在一起，无法分开。斯特鲁斯的刻画经过了深思熟虑，而且凭直觉对这些复杂的现场做出相应的反应。他把摄影当作工具，激发观众的内心对话和思考。

图 100　卢卡斯·亚桑斯基和马丁·波拉克，《无题》，1999—2000。

图 101　托马斯 · 斯特鲁斯，《乐园（9）（中国云南西双版纳）》，1999。
这幅影像取自斯特鲁斯的一个系列作品，刻画了美国、澳大利亚、中国和日本的茂密森林和灌木。斯特鲁斯选择的现场让人辨别不出位于地球何处，也不具什么独特性，让观众联想到一个植物园。通过这些美丽而让人失去方向感的影像，斯特鲁斯提供了他认为可作为冥思对象的空间，这里有如图画，且富有情感。

在本章的最后部分，我们将考察在肖像摄影中运用了去个性化的无表情风格的艺术家。德国艺术家托马斯 · 鲁夫（Thomas Ruff，1958— ）是 1980 年代最有影响力的肖像摄影师之一。像斯特鲁斯一样，鲁夫 20 多年来的创作实践极为广泛深远，这里只能略表一二。表面上看，他的摄影题材包括建筑、星座和色情（参看第七章），但不论是什么题材，他都拍摄了不同类型的影像作品。这些照片与他使用单一的手法拍摄的那些标志性照片不同，而且还提出了一个更有趣的问题：我们如何通过不同的摄影形式来理解被摄对象？我们之所以能理解拍摄对象，是因为我们知道或期待着这些拍摄对象会以何种方式呈现。现在他对我们的这种理解方式进行试验。自 1970 年代末，鲁夫开始为朋友们拍摄上半身肖像，这样的肖像照让人想到护照照片，但尺寸更大 [102]。他的拍摄对象选出单色背景，然后在背景前被拍下来。鲁夫请拍摄对象保持毫无表情的状态，直视照相机。经过了一些调整后（1986 年起，他用灰白中性色背景替换了原来的彩色背景，而且又加大了照片尺寸），这成了鲁夫一直在研究的方法。照片呈现出被拍摄者面部的细节，甚至是皮肤的毛囊和毛孔，人物表情木然，缺乏任何能触发视觉反应的细节(比如姿势)，让我们通过一个人的外表来窥探其性格的指望落了空。

杉本博司（Hiroshi Sugimoto，1948— ）拍摄的美术馆蜡像的作

图 102　托马斯·鲁夫，《肖像（沃尔克曼）》，1998。

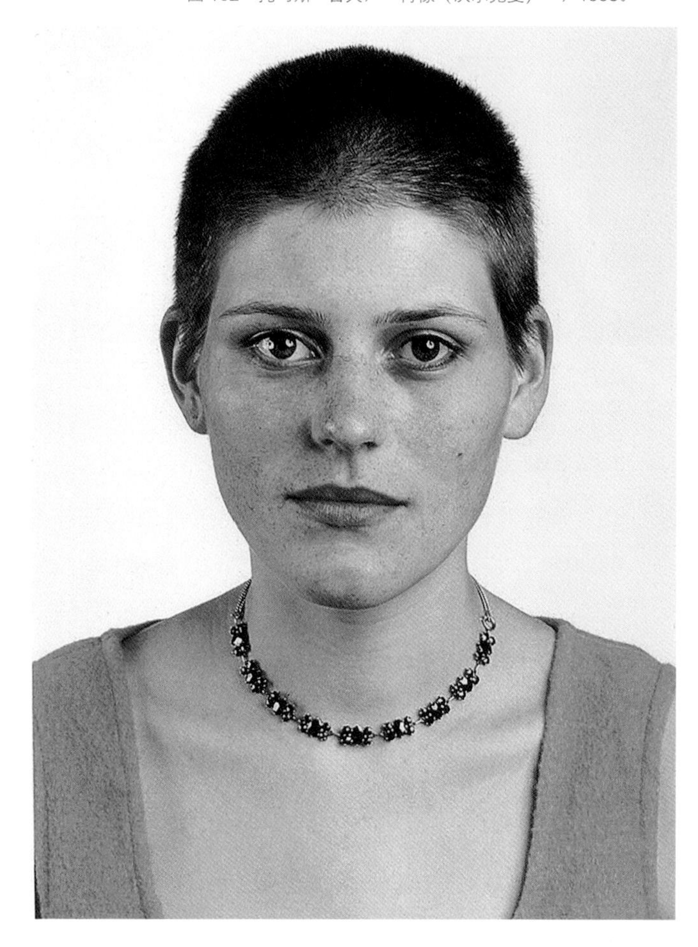

图 103　杉本博司，《安妮 · 博林》，1999。
这幅表现蜡像的黑白照片，强调了我们是如何无意识地回应照片中的人物形态的。我们知道这幅照片刻画的并非真人，而是英国历史上一个被浪漫化了的女王蜡像。面对这张蜡像照片，我们却意欲探究其人物性格和个性特质，仿佛这是一张真人照片似的。

品也将我们置于了类似的批评自觉的位置上。《安妮 · 博林》(*Anne Boleyn*)［103］绝妙地概括了我们是如何无意识地在作品中寻找人物性格的证据，哪怕面对蜡像照片也是如此，因为这张照片是如此栩栩如生。我们本以为能通过摄影影像来了解一个人的本质，而杉本博司和鲁夫那种客观的风格戏剧性地剥夺了我们的预期。我们认为，一个人的生命经历会写在脸上，眼睛是灵魂的窗子，现在这些观念都受到了质疑。如果说无表情的肖像中隐藏着什么现实或真相的话，那也集中在人们面对照相机做出的非常微妙的反应上，艺术家观察的就是拍摄对象怎么对付他们面前的照相机和摄影师。

对于无表情的肖像摄影而言，街头肖像无疑是最普遍的一种形式。乔·斯坦菲尔德（Joel Sternfeld，1944— ）的肖像不仅提出了这样一个问题：通过被摄者的外貌，我们自以为能了解多少其内在的想法？而且还提示了这个已经消失的事实：斯坦菲尔德和陌生人商量，在一个礼貌的距离把他们拍下来，只是请他们停下正在做的事，准备好拍照［104］。拍摄对象对于所发生的事做出的反应，包括他们的抗拒，以及对暂时打破常规的举棋不定，成了影像里被刻画的“事实”。在研究斯坦菲尔德的摄影作品时，我们猜想，是什么样的举止吸引了摄影师。对这种微妙的视觉趣味的探索，也是吉忒卡·汉兹洛瓦（Jitka Hanzlová，1958— ）的《女

104　乔·斯坦菲尔德，《拿花环的女人，纽约，1998》，1998。
斯坦菲尔德保持一段距离来拍摄人物，大部分拍摄对象都意识到自己在被拍摄，而且在拍摄期间暂时中止了自己的活动。斯坦菲尔德并不按照严格的类型标准来选择陌生人。尽管有一些原型要素，如街头小贩或女佣，但他也刻画了无从根据外表断定其身份的陌生人。

图 105　吉忒卡·汉兹洛瓦，《印第安女人，纽约切尔西》，1999。
这幅影像取自摄影师的一个系列作品，拍摄的是她在街上遇到的女性。这些照片里的每位女性都直面摄影师做出反应，因此有着某种新客观主义的色彩。因为是一个系列作品，所以女性们的态度和场所的相似性与差异性，就成了我们借以进行主观推断的线索，去猜想，除了性别之外，究竟是什么把这些女性联系在一起或区分开来。

性》(*Felmale*) 系列的创作动力。她在造访的城市里拍摄不同年龄、不同种族出身的女性 [105]。她对拍摄对象的选择逐渐形成一套类型学：由于汉兹洛瓦采用连续性和系统化手法，每一位女性的个人风格和特征变得清晰起来，她们对相机做出的反应，让我们了解到其内心状态。在这种情况下，街头肖像清晰地见证了摄影师与被摄者的相遇，我们对被拍摄者的想象随之转移，又因为系列当中影像间的相似和差异而强化。

1990 年代末，挪威艺术家梅特·特鲁沃 (MetteTronvoll，1965—)

把肖像拍摄地点从工作室挪到了屋外，但依然采用她在工作室里形成的系统化的肖像拍摄手法。她创作了大量关于格陵兰和蒙古边远社区的系列作品，刻画人物及其所处的环境［106］。在她拍摄的单人和集体肖像中，街道变成了背景。就像本章展示的其他肖像作品一样，最佳视角是直视人物。无表情摄影审美的惯例是，选择最简单、最中立的姿态拍摄，来掩饰相机角度的选择。这就意味着我们同所刻画的人物之间的关系非常直接，当我们注视他们时，他们也在看着我们。

图 106　梅特·特鲁沃，《斯黛拉和胜荣，淑女坊》，2001。

图 107　阿尔布莱希特 · 蒂布克，《庆典》，2003。

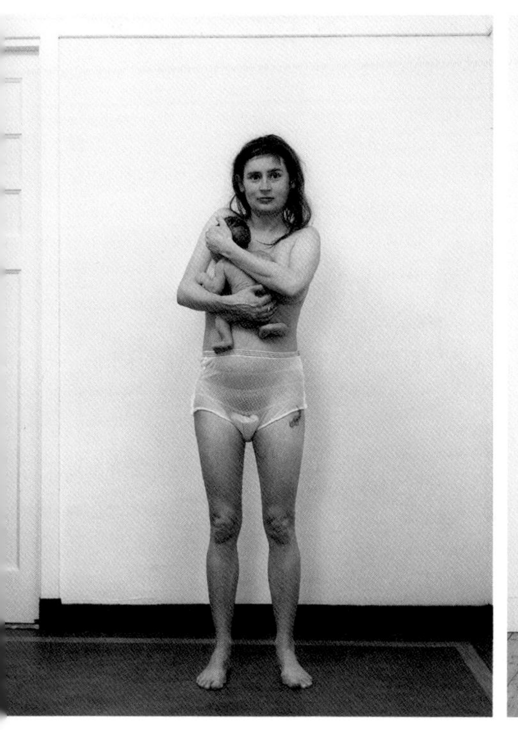

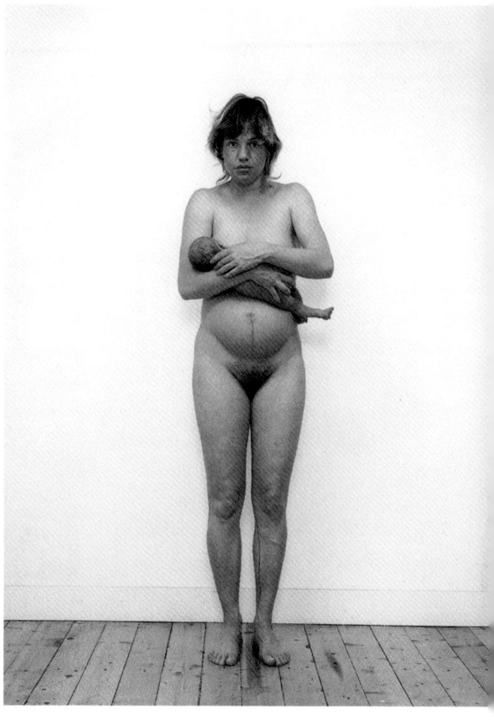

图 108 (左)　莱涅克 · 迪克斯特拉，《朱莉，荷兰海牙，1994 年 2 月 29 日》，1994。

图 109 (右)　莱涅克 · 迪克斯特拉，《泰克拉，荷兰阿姆斯特丹，1994 年 5 月 16 日》，1994。

阿尔布莱希特 · 蒂布克（Albrecht Tübke，1971— ）的《庆典》（*Celebration*）系列，是在公共节日时游行队伍边上拍摄的。蒂布克邀请拍摄对象从人群中走出来，拍摄他们孤身一人、暂停狂欢的样子［107］。有时他们身上唯一没有裹在衣服里的部位，就是双手和眼睛。在蒂布克的照片里，被拍摄对象似乎藏在一副面具背后，这种感觉超过了事件的具体细节，进入了隐喻的疆域：我们的真正身份几乎难以辨认，而是成为我们自觉地为自己设计的样子。其中，蒂布克拍摄的那些即将步入成年的孩子们的影像，对观看者来说有一种特殊的共鸣。而荷兰艺术家塞里内 · 凡 · 巴伦（Celine van Balen，1965— ）拍摄的生活在阿姆斯特丹临时住所里的穆斯林少女肖像（参见图 75），也同样属于这一范畴。毫无皱纹的年轻面孔，给人一种泰然自若的感觉，看起来充满自信，把自

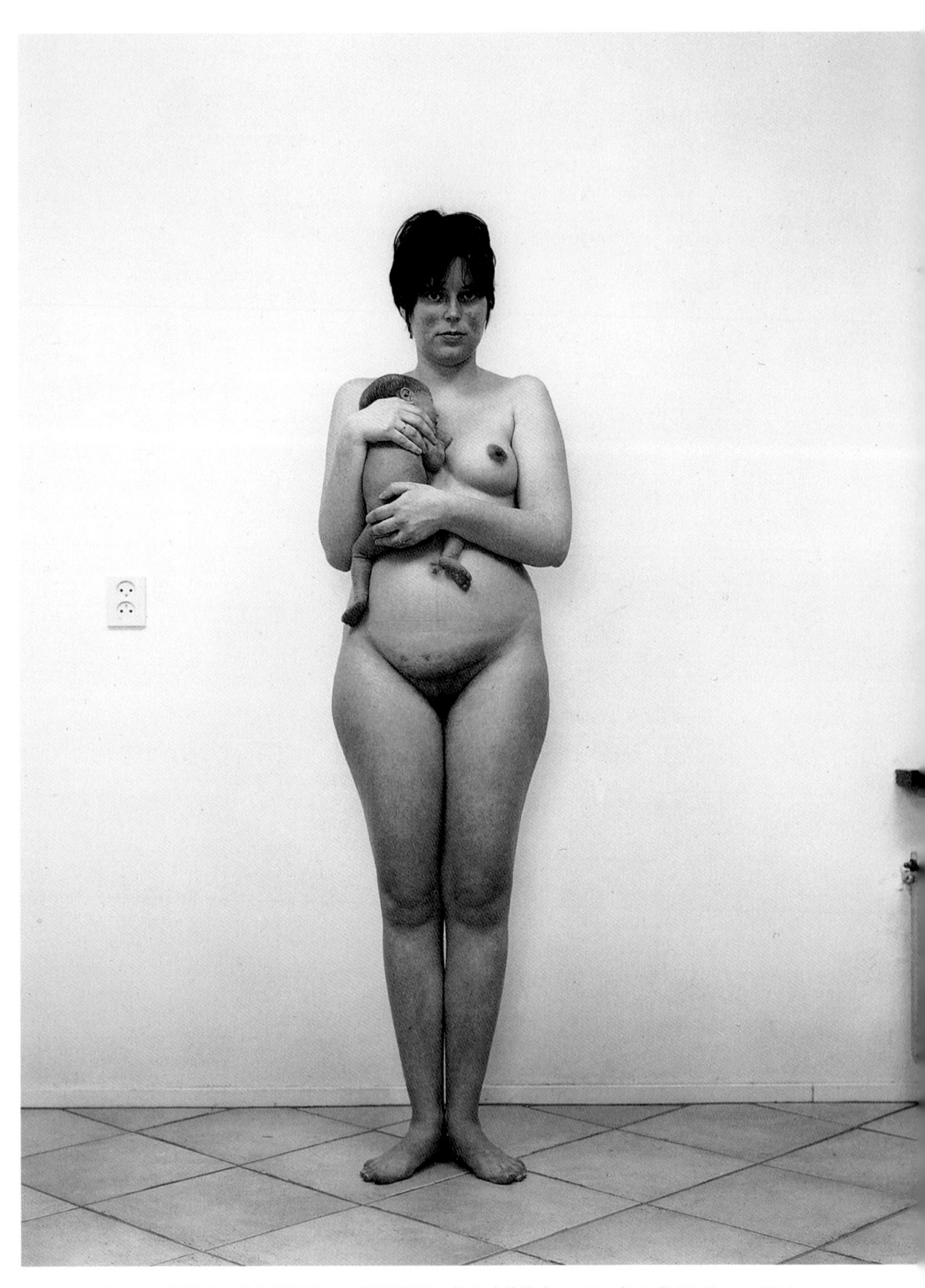

图 110　莱涅克·迪克斯特拉，《萨斯基亚，荷兰哈德维克，1994 年 3 月 16 日》，1994。

己展现给凡·巴伦，并由他拍摄下来。

另一位荷兰摄影师莱涅克·迪克斯特拉（Rineke Dijkstra，1959— ）也专注于拍摄处于人生这一阶段的人物。在 1990 年代初到中期，她在海滩上拍摄刚上岸的儿童和少年。她捕捉了被摄者在过渡空间中的脆弱状态和身体的自觉意识，这一过渡空间是介于泡在海水中、受到海水保护的状态，与坐卧在沙滩浴巾之上、混入无名之众的状态之间的中间状态。选择在特定时间和特定地点拍照，这成为迪克斯特拉作品的一个主导性元素。例如在 1994 年的斗牛士肖像中，她拍摄了男人刚刚结束斗牛，浑身血迹斑斑，肾上腺素开始下降的状态，他们的表演性和警惕性在她拍摄时已消失殆尽。她在 1994 年还拍摄了 3 个女人：第一位摄于分娩一小时之后［108］，第二位是在分娩一天之内［109］，第三位是在一周之后［110］。迪克斯特拉以不动声色的手法来表现母性，专注于展现怀孕和分娩对女性造成的影响。一旦女性的身体开始从生产中恢复，这种影响的可辨识性也许就将丧失。这些作品反映了女性与自己身体之间的关系的深刻转变，以及她们对新生婴儿出于本能的保护。如果不是通过这样一种系统化而又超然的摄影风格，我们恐怕永远也无法看到这些情形。

图 111　彼得 · 弗施利和大卫 · 威斯，《寂静的午后》，1984—1985。

弗施利和威斯的《寂静的午后》是一组静物摄影作品，在他们自己的工作室里完成，拍摄的是用意想不到的方式拼凑或堆砌在一起的普通物件。这个系列影响深远，它将这种传统的艺术和摄影类型重新转向，进入戏谑性的、受概念驱动的新领域。

第四章　物件与空无

本章出现的照片展现的是不具人性的物件，它们往往非常普通，可见于日常生活之中，却借助摄影而变得不同凡响。正如本章标题所示，日常生活之物在表面上可以作为拍摄对象，也就是照片中的“物件”。但是我们通常会从这些物件旁边擦身而过，或将它们放在我们视野的边缘地带，不会自动地将它们视为具有艺术价值的视觉题材。这些照片本身保留着它们所刻画之物的“物性”，但由于呈现方式的关系，这些物件的概念被改变了。通过摄影，平凡事物被赋予了视觉张力和想象潜力，大大超出了其日常功能。迷人而感性的处理、物体尺寸的改变、典型环境的变换，形状或形式的简单并置或相互关联——一切创作手法都被利用上了。这一种摄影常见的图像类型有：物品的平衡与堆砌、物体的边缘或角落、废弃空间、垃圾和腐败物，以及具象或瞬息即逝的形式，例如雪、凝结物和光。这份清单或许看似列出了一系列微不足道又转瞬即逝之物，它们在摄影中很少能构成恰当的主体。但是人们必须慎重，不要认为这类摄影只关注如何呈现“非主体”，即，没有任何视觉象征意义的世间物件。事实上，根本不存在这类“没被拍过”或者“无法被拍下来”的摄影主体。我们的任务是去挖掘摄影主体的意义——我们知道它必然有意义，因为艺术家把它拍摄下来，从而把它设定成有意义。通过这一类作品，艺术家们巧妙而富于想象地鼓励我们在日常生活中用新的方式去思考周遭世界中的物件，从而培养我们的视觉好奇心。

自 1960 年代中期以来，带有戏谑色彩的观念主义静物摄影的发展与后极简主义雕塑密切相关。简言之，这一类摄影在以下相关的艺术运动的推动下不断发展：从日常世界选取材料进行艺术创作的种种尝试；打破工作室、画廊和日常世界之间的藩篱的种种努力。与之相伴的是，观念主义静物摄影与后极简主义雕塑共同探索一个新型的艺术品创作：在这种艺术品上你看不到明显的艺术技巧。观众面对这样的作品做出的反应，与面对艺术史上传统的大师杰作做出的反应，因此将完全不同。我们不会询问这件艺术作品是如何以及经由谁人之手创作的，而会询问：这件东西是怎么出现在这里的？是什么举动或一系列活动让它受到瞩目？当代雕塑——被 20 世纪初马歇尔·杜尚的“现成品”创作激发了灵感（参看第一章）——和摄影都能够激活同样的概念活力；它们制造困惑，扰乱我们的预期——比如对物件的重量和大小，或对一件艺术作品的永恒性的预期。最终，它们动摇了一个概念，即物体是独立的造型形式，与它所出现的环境没有任何关联。

在戏谑地质疑我们对一件艺术作品的本质的预期的那些创作项目中，影响最为深远的是瑞士艺术家彼得·弗施利（Peter Fischli，1952— ）和大卫·威斯（David Weiss，1946—2012）的《寂静的午后》（*Quiet Afternoon*）系列［111］。这些作品展现了桌面上拼凑的平凡物件，似乎是在艺术家工作室里信手拈来。弗施利和威斯把这些物件固定住并保持平衡，然后在纯色背景前把它们拍下来，创造性地利用了雕塑的形式，还带着倾斜的影子，为这些故意不太讲究的临时雕塑平添了一种卡通剧的色彩。《寂静的午后》那看似即兴而乏味的摄影风格，与 1960 年代出现的另一类艺术创作类似，即记录极简主义雕塑和大地艺术的纪实摄影作品。纪实摄影（并不将照片本身作为其最终的艺术作品）

的创作动力来自对雕塑和大地艺术作品进行长期记录的欲望。比如，罗伯特·史密森(Robert Smithson，1938—1973)和罗伯特·莫里斯(Robert Morris，1931—) 的很多艺术，是通过摄影的方式来被体验和理解的。用一幅照片来传播一个短暂的艺术行为或临时艺术作品，这种方式具有固有的讽刺性和暧昧性，而当代艺术摄影对这讽刺性和暧昧性不断地加以利用和改造。

当代静物摄影的主要人物之一是墨西哥艺术家加布里埃尔·欧罗兹克（Gabriel Orozco，1962— ）。欧罗兹克的作品充满了不可思议的视觉游戏，诙谐而富于想象。无论是以照片、拼贴画或雕塑的形式，还是这些媒介之间的交杂，他的装置和展览展现的虽是以极其简单的手段完成的作品，却为观众提供了一场刺激而又诙谐的概念之旅。他一开始拍照片（使用的是宝丽来和 35 毫米相机），是为了记录他在街头瓦砾中找到、然后在画廊里重新安装起来的现成雕塑，照片充当了他重设的空间关系和元素的图解。如果说一开始欧罗兹克的摄影作品是他创作过程的功能性记录，后来它进一步延伸，在他的作品中变得越发重要，成为他在展览和出版等艺术实践中最重要的一部分。欧罗兹克不断地质疑艺

图 112　加布里埃尔·欧罗兹克，《钢琴上的哈气》，1993。

术作为一种思想传播媒介的地位，他用摄影来要求我们密切关注影像的本质，以及摄影是如何永远在媒介和对象之间摇摆不定。《钢琴上的哈气》（*Breath on Piano*）［112］充分体现了他的意图，那就是激发观众某种特别的思考。从某种程度上讲，这张照片可被视为一种记录，记录下了难以捕捉的呼吸在光洁的钢琴表面留下的痕迹。凭借捕捉毫秒的能力，摄影让我们思考照相机前究竟发生了什么（也许就在刚才）。但是对《钢琴上的哈气》这种多少有些司法鉴定式的解读，掩盖了作品另一个同样重要的方面，因为这张照片让我们看到了影像本身，看到了平面上的种种形状，这是一张印制好的照片所具有的最基本的功能。模糊的哈气痕迹被框在一幅照片中——这样一个微不足道的动作和摄影这样一种媒介，于是就有了艺术的意义。

费利克斯·冈萨雷斯－托雷斯（Felix Gonzalez-Torres，1957—1996）利用摄影来传达他使用多种媒介完成的神奇的装置作品的艺术效果，调动观众的感官反应，鼓励他们游戏般地参与。他的装置作品使用了家庭和社会生活中的物件，然后将这些物件重置于画廊的环境中。他的《无题》广告牌系列［113］最初于1991年在纽约展出，后来在欧洲和美国巡展。这幅作品展现了一张没有整理的床铺，画面上并没有情侣的形象，只有他们身体压过床单和枕头后留下的痕迹。这幅作品刻画了私密的场景，却因为摆在城市街道和公路旁这样的公共语境下供路人仔细观看，而被赋予了一种戏剧效果。这种公共场所和私密观看的融合，加上照片本身的敏感性，让观众把自己的经验带入作品当中，在其中注入了他们自己的意义。费利克斯在作品所有权协议中声明，作品所有者负责须同时在不同的广告牌现场展示作品，至少在6个地方，但理想的是在24个地方。这件作品原本是在西方艾滋病意识达到巅峰时展示的，那种失落和缺席的感觉又传达出额外的社会和政治意义。

30多年来，英国艺术家理查德·温特沃斯（Richard Wentworth，1947— ）一直在拍摄都市街头的标记和废弃物。他的摄影作品往往提供

图 113　费利克斯·冈萨雷斯–托雷斯，《无题》，1991。
这个项目最初是在纽约的广告墙上展示的，广告牌上是一个没有整理的床铺，枕头和被单上还留着曾躺在上面的人的痕迹，这一很能让人产生共鸣的私密痕迹因出现在公共场合而引起了反响。

图 114　理查德·温特沃斯，《伦敦国王十字街》，1999。

了一种视觉双关语，拍摄对象通常是被废弃或再利用的物品，它们已失去了原本的功能，而通过摄影又获得了新的、有时显得滑稽的特征。和自己雕塑作品的形体语言保持一致，温特沃斯的作品吸引了我们的好奇天性，让我们通过触感、纹理和重量，来理解事物的另类价值和意义。在这里展示的这件作品［114］中，汽车轿厢壁板被塞进一个门洞里，大概这是一种独树一帜却非常有效地阻止别人进入房子的方法。这个有

图 115　杰森 · 埃文斯，《新线索》，2002—2003。

图 116　尼格尔 · 沙弗兰，《阿尔玛公寓（塑料桌上的）针线盒》，2002。

趣的景象还能激发更荒诞离奇的想象：比如，这也许是解决繁忙城市里的停车问题的一种极端而绝望的措施。温特沃斯的艺术才能就在于，他能从都市废弃物里发现这种让人好奇的形式并进行摄影创作。

在杰森·埃文斯（Jason Evans，1968— ）的黑白系列作品《新线索》(*New Scent*)［115］中，摄影师在沿海风暴过后淤积在排水口的沙子中发现了一种奇怪的雕塑形式。这幅作品向我们显示，一种无价值且稍纵即逝的现象怎么通过摄影而让人引起共鸣的；天气状况有可能造成这种暂时的物理现象，然后被摄影师观察到，于是就有了神奇的意外发现。照片采用了中间灰调而不是彩色拍摄，这不仅是对20世纪街头摄影传统的一种致敬，而且这也是能使这一景象拍出令人产生更大共鸣的效果的方法。在《新气味》中，这些很容易被错过的、意外发现的细节，因为取景和拍摄方式巧妙而充满了视觉吸引力。

尼格尔·沙弗兰（Nigel Shafran，1964— ）的《阿尔玛公寓（塑料桌上的）针线盒》［*Sewing kit (on plastic table) Alma Place*］［116］，是在室内更私密的环境中完成的。边桌上的针线盒不但平衡了画面，象征了家庭生活，还诱使观众进行一场视觉的探索。沙弗兰的摄影作品往往运用日常生活中找到的形式：滴水板上待洗的餐具、建筑工地脚手架、割下来的草屑等。他以朴素的摄影风格，利用周围环境光和相对较长的曝光时间，将这些场景变成了诗意的观察，观察我们是如何通过布置、堆砌和展示物品这些下意识的行为来经营自己生活的。在沙弗兰的创作方式中，还有某种来自直觉的东西。他拒绝搭建拍摄的场景，相反，他的方法是对日常物品所具有的可能性保持持续的关注，把它们作为探索人类性格和生活方式的工具。

詹妮弗·柏兰德（Jennifer Bolande，1957— ）的《地球仪》(*Globe*)［117］同样着眼于简单但有意义的物件如何摆在了出人意料的地方。柏兰德从街上拍摄了存放在家庭窗台上的地球仪，借助这个非常简单的姿态思考了我们对世界的认知和理解。最显而易见的是，这些照片把我们

图 117　詹妮弗·柏兰德，《地球仪，纽约圣马可广场》，2001。

的注意力引向了我们获得有关这个世界的知识的方式：我们是通过一个小小的、简化的模型来认识世界的。这些照片向我们表明，人类的视野是多么狭隘，就这样被我们看出去和望进来的窗子框定了。柏兰德的作品不断探索人类从微观到宏观的理解方式，通过简单微妙的观察，把人类受局限的理解力视觉化了。重要的是，《地球仪》是一个影像系列的一部分，而不是单张照片。柏兰德对人类行为的反复观察，使其作品成为一种关于文化的视觉评述，而不是仅仅对孤立、特异的姿态的描述。

法国艺术家让–马克·比斯塔芒特（Jean-Marc Bustamante，1952— ）的系列作品《失踪的东西》（*Something is Missing*）是在不同城市拍摄的，虽然标题并没有揭示拍摄地点，但我们可以通过一些影像中出现的道路标志、广告和汽车号牌，确定它们属于哪座城市。在这些场所中，比斯塔芒特寻找的并不是一个具体地理位置的真实信息，而是能够引人共鸣的简单画面形式。在城市和其他人造地点边缘的风景中寻找可拍摄的画面，是他 25 年来的摄影主题之一。在下面这张照片［118］中，足球场上的人物被两种环境包围着：前景的铁丝网和背景里荒废的都市住宅废墟。这些元素既可以构成一个三维空间，也可以从摄影师和观者的有利视点出发构成一系列二维的图像平面。作品的主体是整个画面及其多层次的复杂性，这是摄影师不断游走不断搜寻日常生活画面的结果。

德国艺术家、电影导演维姆·文德斯（Wim Wenders，1945— ）的的照片展现的也是具有相关意义的、来自我们生活的画面，艺术家发现了这些画面，加以创作而成作品。文德斯素以拍摄故事影片著称，但当一个场所足以传达它自身的故事、无需他用电影的方式去构建一个叙事时，他便采用静态摄影。在《德州巴黎的墙》（*Wall in Paris, Texas*）［119］中，开裂的马路，墙面剥落并露出砖块的建筑外墙，成了一则叙述这个地方的衰败与脆弱的寓言，对角穿过画面的电线给人以忧虑感，加重了这则寓言的寓意。

本章语境中的建筑往往已严重破损或丧失了原来的用途，被居住者废弃，只留下一些人类活动的痕迹，就在这个时候被艺术家摄入镜头。安东尼·赫尔南德斯（Anthony Hernandez，1947— ）在 1980 至 1990 年代的摄影创作，就专注于这种建筑空间。他 1980 年代的作品《无家可归者的风景》（*Landscapes for the Homeless*），通过被他们抛弃的破屋的画面，艺术家视觉复原了这些破屋主人的生活和性格，这影像成了穷困与生存的精确见证。赫尔南德斯的最近作品《洛杉矶之后》（*After L.A.*，1998）和《爱丽索村》（*Aliso Village*，2000），也着重展现了即将拆除或渐趋崩坏的空间。在这些表达了空虚情感的破败不堪的场景中，他挖掘了被人忽视的东西（无论是在社会意义、政治意义，还是视觉层面上）。

图 118　让－马克·比斯塔芒特，《失踪的东西（S. I. M. 13. 97 B）》，1997。

图 119　维姆 · 文德斯，《德州巴黎的墙》，2001。

120 安东尼·赫尔南德斯，《爱丽索村 #3》，2000。
赫尔南德斯从荒废遗弃的空间中挖掘了形式和隐喻的共鸣点。在《爱丽索村》系列中，他重返从小长大的住宅开发区，这时屋子尚未被拆毁，而所有居民都已离开了这里。

上面这张照片来自《爱丽索村》系列［120］，赫尔南德斯在这个自己出生长大的洛杉矶低收入社区里，发现了前住户留下的东西，一件很小但令人难忘、意义深刻的东西。

本章出现的所有摄影作品，都在试图用微妙的方式改变我们对日常生活的认知。这种形式摄影低调而开放，却能引起共鸣。特雷茜·巴兰(*Tracey Baran*，1975—2008)的作品《露水》(*Dewy*)极具感官意味［121］：一只刻花玻璃杯湿气未干，摆在窗台上，光线透过树叶落在上面，这俨然是一幅经典的静物画。平面与形式未经事先谋划的结合，巧妙地映射

图 121　特雷茜 · 巴兰，《露水》，2000。

图 122　彼得 · 弗来塞，《无题 2002》，2002。
弗来塞的《物质》系列探索了本章的核心主题：摄影是如何保存极普通之物的物质性，同时又挖掘它们潜在的想象性和概念性意义的？

图 123　曼弗雷德 · 威尔曼，《无题》，1998。

出了一种物质性。这幅影像有赖于我们这样的理解：我们正在观赏的这个构图，属于静物的画面营造传统，能见于日常生活。发现一种已知的画面形式，这也是英国艺术家彼得 · 弗来塞（Peter Fraser，1953— ）的《物质》（*Materials*）系列的主要创作手法。在这里展示的这张照片［122］中，特写的人工粉尘宛如一个漩涡，既是一个废弃物构成的完美的微观世界，也是我们周围由尘埃组成的巨大宇宙的影像。粉尘这样的废弃物不具固定状态，更没有文化上的意义，弗来塞却以摄影手法对这种含混的主体进行了深刻思考，将之转化成一种具有神奇的星系意味的图像形式。

曼弗雷德 · 威尔曼（Manfred Willmann，1952— ）的《大地》（*Das*

Land）系列展现了德国施泰尔兰德地区一个乡镇的各种仪式、特质和四季更替［123］。从 1981 年开始，他花了 12 年时间拍摄了 60 幅摄影作品，通过静物、风景和肖像照片，展现了乡村生活方式的方方面面，传达了他在此体验到的强烈的生活感受。《大地》可以被解释为乡镇生活日记，但威尔曼的拍摄方式并不带有我们将在第五章看到的那种程度的主观叙事或私密性。这一创作项目的首要动力似乎就是这种画面力量——只要你细心观察，便能在一个地方，或任何地方，找到它，威尔曼在最终选定的作品里也的确传达了这一点。大树不堪大雪重压，树干被折断而露出木质：威尔曼从这样的具有微妙戏剧性的场景中看到的，不只是娇媚的冬日风光。事件已逝，但哀婉的痕迹尚存，这与本章前面讨论过的那种对废弃的破败建筑的再现手法非常类似。

图 124　罗伊·埃斯里奇，《粉色蝴蝶结》，2001—2002。

美国摄影师罗伊·埃斯里奇（Roe Ethridge，1974— ）根据拍摄对象的不同特点，变换不同的摄影风格。他的作品包括在工作室拍摄的白色背景的模拟当代时尚风格的肖像，无表情风格的建筑照片和颜色艳俗的现成静物快照［124］。有确定的迹象表明，埃斯里奇的摄影创作如此自信而多样，其目的是为了在我们所熟悉的影像类型中寻求新意，让我们同时关注拍摄对象及其一般或惯用的呈现模式，赋予其新的视觉意义。

德国艺术家沃尔夫冈·提尔曼斯（Wolfgang Tillmans，1968— ）也出色地探索了摄影与其拍摄对象之间的艺术关系。从1980年代末以来，提尔曼斯把现成影像和图库影像、复印件以及他自己的照片编辑在一起，以几种印制形式来展示，如明信片和喷墨打印。他的创作涉及不同的领域，利用杂志、画廊和书籍等媒介来展示他的风光照、肖像照、时尚写真、静物照，最近，由于暗房出错，又意外开始了抽象摄影创作。窗台上熟透的水果，厨房里简单的橱柜，这些东西出现在他的照片里就产生了俭朴而深刻的意义。作品《衣服》（*Suit*）［125］表现的是他另一个经常使用的题材：被晾在一边的衣服，被主人丢在地板、门口和楼梯上的衣服。这些被丢弃的衣物无形中成了柔软的雕塑，如同脱落的兽皮，不禁令人联想，这些衣服曾包裹了什么样形状的身体，令人联想脱衣的情形，由此营造出性关系的亲密感。

詹姆斯·韦林（James Welling，1951— ）的摄影创作常常思考如何让最微不足道的主体具有形式和思想的意义。韦林从不同角度反复拍摄同一个主体，目的是为了探索影像无限的可能性。1980年代，他以垂挂的布料为题材，创作了一个摄影系列，在这里，布料既可以是不在场的拍摄对象的背景，也可以说它本身就是拍摄对象。通过巧妙移动相机位置和光线落在同一物质细节的位置，韦林质疑了单一视角能了解事物的看法。就像《光源》（*Light Sources*）系列的标题所指出的，他拍摄了不同的光源（从太阳到日光灯管）［126］，激发了人们对认知和主题的思考。《光源》系列是利用摄影纪实风格进行重复拍摄的一个最好的例证，

图 125　沃尔夫冈 · 提尔曼斯，《衣服》，1997。

虽然提尔曼斯的作品就主题和创作方法而言是格外多样化的，但是其中有几个主题是反复出现的，比如，一套悬挂的衣服，或掉在地板上的衣服这样自然而成的雕塑作品。

证明作品能从一系列有趣的观察提升至概念层面，在这个层面上，主题不是一眼就能被迅速解读；通过各种可能的状态的呈现，它逐渐变得清晰起来。

初看起来，杰夫·沃尔的《对角线构图（3）》（*Diagonal Composition no. 3*）［127］不同于他以往的作品，因为画面中既没有演员扮演，也没有令人印象深刻的场面调度（参看第二章），看起来就像随意抓拍的一张日常事物照片，并且裁剪拙劣。不过照片里的踢脚线、橱柜、拖把、水桶和肮脏的地板呈锯齿形排列，暗示了这并非是随意看见并记录下来的场景。沃尔仔细建构了这组日常物品的摆设，借此提出问题：我们自己与照片之间是什么关系？我们为什么看这张照片？在什么样的历史时刻或生活节点上，照片中再现的地板一角变得具有代表性，值得我们关注？

图 126　詹姆斯·韦林，《光源（6）》，2001。

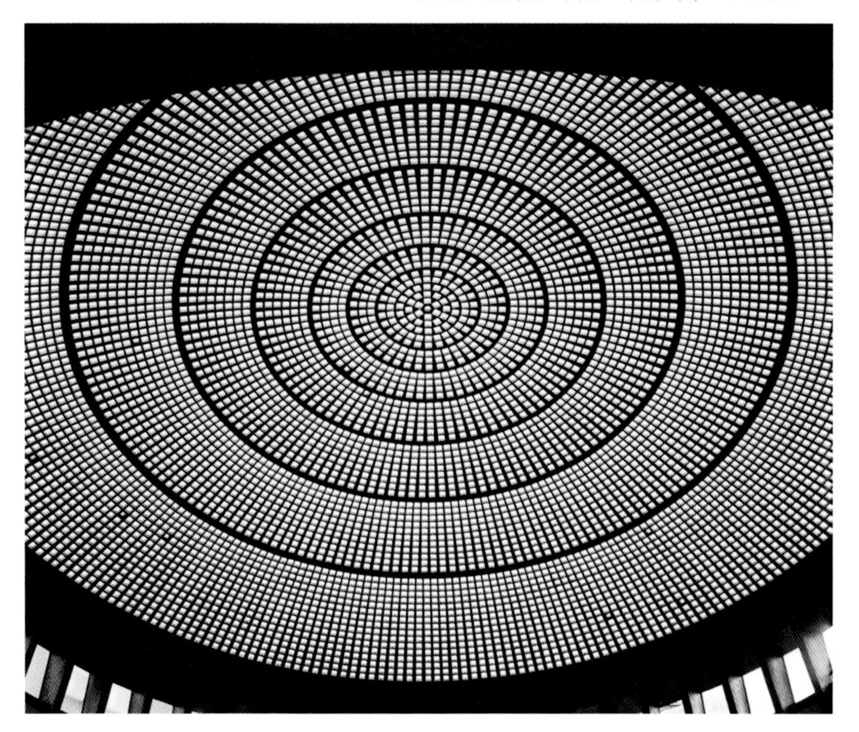

在看似单纯的取景之外，影像需有何种程度的抽象化，才能让这些微不足道的拍摄对象成为一幅静物影像？沃尔的作品之美就在于，他虽然提出了这些复杂的问题，但他的艺术作品仍然让我们感到满足。

劳拉·李丁斯基（Laura Letinsky，1962—）的作品既思考了静物的作用——通过家庭生活的遗迹来再现人类关系的本质，同时又让我们思考这种画意再现行为［128］。她的作品展现的是用餐之后和两餐之间的餐桌画面，在构图上显然参考了 17 世纪荷兰静物画。李丁斯基无意向我们表达这种历史性绘画题材中出现的水果、食物和花卉的特定象征意义，而是为了让我们关注家庭生活的物件在画意再现中所具有的隐喻和叙事潜力。她的作品结合了平面性和可塑性，营造出一种不安感，消

图 127　杰夫·沃尔，《对角线构图（3）》，2000。
沃尔的《对角线构图》看起来是对无意摆放在一起的日常物件的观察，实际上却是精心布置的静物作品。在某种程度上，作品探索的是如何借用严谨的形式使凡俗物件产生概念意义和视觉趣味。

图 128　劳拉 · 李丁斯基，《无题 #40，罗马》，2001。
李丁斯基用 17 世纪北欧静物画常见的流动视角描绘了残余的食物，展开了她的家庭生活和私密关系的叙事。

解了摄影传统上的单眼视角。李丁斯基采用了静物画不断变化的多重视角和画面，拍摄对象以不同角度被支撑起来，并被有策略地摆放，于是我们凭直觉就感觉到它们之间的形式关系具有叙事的潜在可能。李丁斯基独特地运用了北欧绘画的巴洛克式敏感性，拍出绝美的照片，但也给人以观看位置的不稳定感。在居家静物的叙事中，这种特质又暗示了令人揪心的感情状态：终结和崩溃。

在静物摄影中，最具戏剧性的视角运用，是摄影师明确地把重点放在我们观看（或不观看）周围事物的方式上。在某种程度上，这种视角所审视的是我们对环境的认知，而不是静物照所展现的物件。

德国艺术家乌塔 · 巴斯(Uta Barth, 1956—)的《远远不及》(*Nowhere Near*）系列［129］把主题精简为物品之间的空间。在下面这张照片中，艺术家将创作重点放在窗框和窗外的景色上，模糊的形式标志着窗户是照片的视觉范围的边界。于是，我们对自己删减掉或没有去看的东西变得极度敏感，因而不将这些东西界定为能够被看到的主题或概念。巴斯的照片在画廊里展出时，引起了观者现象学意义的共鸣。观者与照片之间的空间，成为空间与主题、看见与看不见之间相互作用的一部分。

意大利艺术家艾莉莎·希基切莉（Elisa Sighicelli，1968— ）利用背光营造了一种似曾相识的感觉，但感觉熟悉的并不是物件本身，而是这些物件出现的环境氛围。因为有两个光源，一个固定在灯箱的背后，另一个在透明片中表现出来，所以，在影像的明亮区域（例如透过窗子照进来的光，或是光洁表面上的反射光），有一种短暂的紧张感。希基切莉利用这一现象表现了室内的细节，这些细节具有视觉感染力，但并不明确：我们思索着她极力再现的空间感，而不必试图想象空间的具体用途或其中住户的个性。她鼓励我们回忆自己脑海中那些有强烈认知感的地点。

图 129　乌塔·巴斯，《无题［远远不及（6）］》，1999。

图 130　萨宾娜 · 霍尔尼格，《窗与门》，2002。

萨宾娜 · 霍尔尼格（Sabine Hornig，1964— ）的摄影创作也专注于影像与对象之间的空间上，例如在作品《窗与门》（*Window with Door*）［130］中，相机从外面透过一扇窗户拍到了一个房间的两端，照相机背后的建筑和树木也显现出来，其实是窗玻璃上的映照。霍尔尼格在作品布展时采用了一种近似雕塑的手法，把摄影作品搭建成独立的方块和方形，让人想到极简主义建筑的棱角和边缘，使影像离开了画廊的展墙，进入一个三维空间。就像本章其他所有作品一样，她的作品从我们日常的熟悉景象中取材，对周边世界投以丰富又充满想象的凝视，邀请我们一起思考人类观看和体验周围环境的方式。

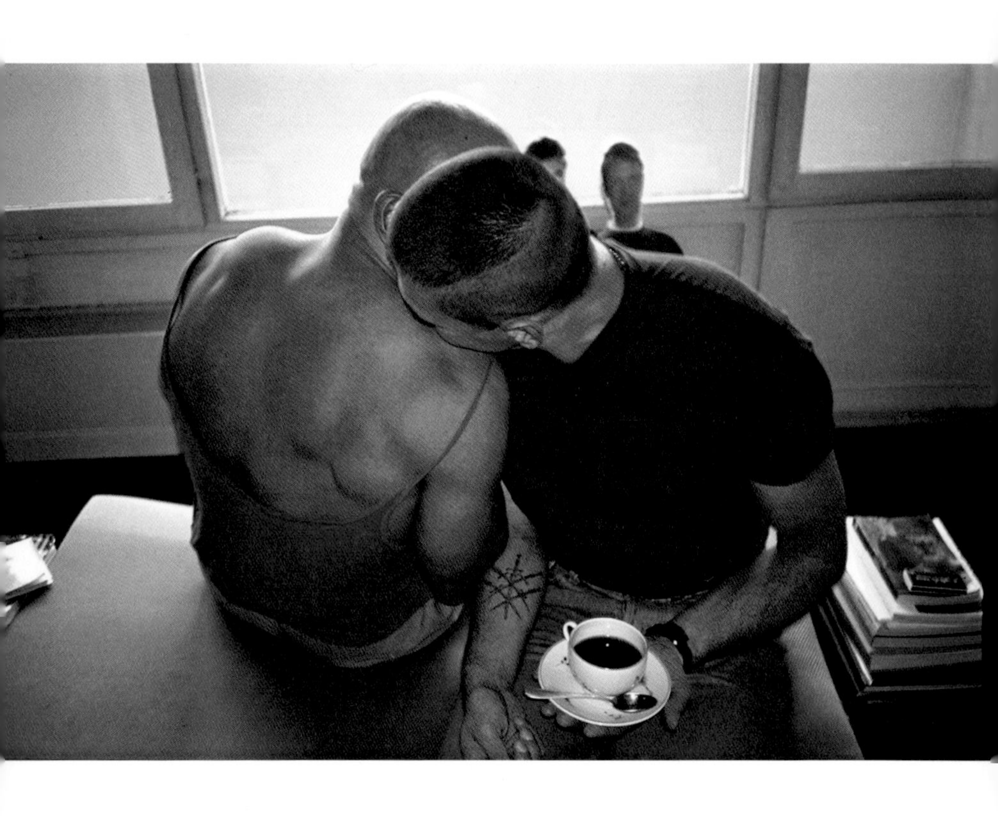

图 131　南 · 戈尔丁，《吉勒斯和古乔的拥抱，巴黎》，1992。
将近 30 年来，南 · 戈尔丁摄影的首要主题之一是描绘恋人之间的柔情。戈尔丁对朋友吉勒斯和古乔的这种动人的观察，是她在 1992 年至 1993 年拍摄的一个系列的组成部分，当时古乔一直在支持着身患艾滋病的恋人吉勒斯，直到吉勒斯离世。

第五章　私密生活

本章将考察家庭和私密生活的叙事是如何呈现在当代艺术摄影中的。这里展示的很多作品是自然的、主观的、日常的，仿佛自我告白一般，与我们到目前为止在本书中所看到的那些慎重的、经过事先构思的策略形成了鲜明对比。一个有益的出发点可以帮助我们思考“私密摄影是如何建构出来的”这个问题：为了达到公开展示的目的，它是如何借用和改造家庭摄影和家庭快照的语言的？除非一家人当中有一位热心的业余摄影师，迫切希望拍出不寻常的照片，否则大部分家庭照片从技术或手法上来看都不会出类拔萃。回顾以往，我们可能希望当初在为朋友和家人拍照的时候更加用心，避免手指挡在镜头前或出现“红眼”之类的现象。但归根到底，这些不是我们判断这类照片成功与否的标准。重要的是，在拍摄这些影像的重大活动或时刻，都有我们所爱的人在场。这一章中的很多作品都有常见的摄影瑕疵：构图出错、图像模糊、打光不均、机器冲印快照的色彩问题等。但是在私密摄影中，家庭式非艺术照片的这些技术缺陷都被当成了一种视觉语言，通过这样的语言，私人的体验才得以传达给观者。那看似拙劣的摄影技巧，其实是一种用来表现摄影师与被拍摄对象之间亲密关系的刻意手段。

我们通常会在家庭生活中具有象征意义的时刻拍摄照片来认可我们的关系，庆祝我们的社会成就。这是我们愿意记住的情感和画面。典型的是，这样的时刻还包括我们共享的文化活动：婚礼之后抛撒五彩纸屑，吹灭生日蛋糕上的蜡烛，宗教节日时的家庭聚餐。还有我们的人生仪式：新生儿回家，骑上新自行车，祖父母教孩子阅读或系鞋带。家庭摄影以及今天的家庭录像将和美的家庭关系视觉化，并从中挖掘值得庆祝的欢乐气氛。不过这类图像中一直缺失的，是我们从文化意义上认为是世俗或禁忌的东西。另一方面，艺术摄影虽然装点了家庭快照的审美趣味，但常常用情感的另一面，例如忧伤、争吵、药物成瘾和疾病，来取代家庭快照本可以预期的情节。它还把日常生活中无关紧要的活动作为题材：睡眠、打电话、开车旅行、无聊和寡言少语。当家庭快照中确实出现社交活动时，这社交活动也是与整体场景相悖的，营造出一种正常的假象，或社交传统无法维系秩序的强烈失败感：医院病床前一束充满生机的花，或者被拍摄对象面对相机强颜欢笑，眼角却挂着泪珠。

私密摄影也重构了家庭快照中的言外之意。在私人照片中，我们总能发现特定家庭关系中种种暗流显出的迹象：在合影中站在某某人边上的是谁？谁不在场？是谁拍了这张照片？以后见之明，我们在影像中寻找导致后发事件的视觉线索，当作宿命式的证据：我们能否在婚礼当天的照片里看出二人日后离婚的迹象？孩子的某些姿势是否预示了成年后的反社会行为？同样，私密摄影也是病理学研究的好方法，对表面看似自然发生的私密瞬间进行编辑和排序就可以揭示被拍摄对象情感生活的源头和面貌。

对私密生活摄影产生了最直接、最明显影响的摄影师，就是美国人南·戈尔丁（Nan Goldin，1953— ）[131，132]。30年来（至今依然在进行），她一直在拍摄自己挑选的“家人式”的朋友和情人。戈尔丁的作品不仅记录了她那个生活圈子的故事，而且在许多层面上树立了评判私密摄影及其创作者高下的标准。虽然戈尔丁在1970年代初就开始为

图 132　南 · 戈尔丁，《在房间里的西沃恩（1），马萨诸塞州普罗文斯敦》，1990。
戈尔丁的摄影有着诸多特色，其中之一便是她以一种高度的审美敏感性，将自己对所爱之人的深情与随性的人物观察融为一体。这幅坦然而率真的肖像有着丰富的色彩和绘画一般的特质。

自己的朋友们拍照，但直到 1990 年代初，她的作品才在国际上得到承认，在艺术市场上站稳脚跟。她的艺术创作有一个非常重要的开端，这一点在关于戈尔丁作品的著述中被反复讲述。戈尔丁在十七八岁时就拍摄了她最早的摄影作品，黑白系列《变装皇后》(*Drag Queens*)。她满怀同情地刻画了与她生活在一起的两位男性异装癖者的日常生活和社交圈。1970 年代中期，戈尔丁就读于马萨诸塞州波士顿美术馆学院。在休学的一年时间里，她无法去暗房冲洗和印放自己的黑白胶卷，于是开始使用彩色幻灯片。此后，她就主要从事彩色摄影创作。

1978 年，戈尔丁移居曼哈顿下东区，继续记录她参与其中的波西米亚圈子的活动、处境和不断增进的友谊。1979 年，她的幻灯片影像首次在纽约各个俱乐部公开展出，配有戈尔丁自选的音乐片段或现场伴奏。这个原声带经戈尔丁不断修改，直到 1987 年才固定下来，最终收录了包括她和她的朋友们有个人共鸣的音乐，以及别人推荐给她的歌曲，这些为她的照片提供了音乐上的呼应，或者具有讽刺意味的元素。1980 年代初，戈尔丁展览的观众主要是艺术家、演员、导演和音乐家，其中很多都是她的朋友或出现在这些影像当中的人物。1985 年，戈尔丁参加纽约惠特尼双年展，标志着机构第一次对她的作品产生了高度的兴趣，隔年，她的第一部摄影集《性依赖叙事曲》(*The Ballad of Sexual Dependency*)出版，也让更多观众感受到她富于创造力的影像创作的艺术激情。至此，戈尔丁有意识地按照主题编排自己的作品，引导观众超越她那些拍摄对象的具体生活，思考更为普遍的生命经验和叙事。《性依赖叙事曲》就是对于诸如性关系、男性的社会孤立、家庭暴力以及滥用药物等主题的个性化思考。在该书文章中，戈尔丁有力地指出了她给自己所爱之人拍照的心理需要。她描述了姐姐 18 岁自杀带来的影响（当时南·戈尔丁只有 11 岁），这件事促使她以强烈的紧迫感来拍摄她认为有重要情感意义的题材，以此为手段，牢牢把握住她自己的个人历史。

1980 年代晚期，戈尔丁应邀在世界各地的艺术机构和活动中展出其作品，也开始举办个展。她的作品风格令人耳目一新，这反过来影响了她曾受教的艺术教育系统。到1980年代末，戈尔丁的创作手法得到了认可，被公认为是成功的艺术摄影创作策略。1990年代初，戈尔丁出版了摄影集《我将成为你的镜子》(*I'll be Your Mirror*，1992)，这些关于自己周围的人的照片在欢庆与失落之间找到了平衡。她深情记录了艾滋病、药物成瘾和康复治疗对她和朋友们的生活所造成的影响，从个人的角度出发，为艺术观众提供了一个深切接触这些社会问题的机会。戈尔丁还开始拍摄那些于她有吸引力但算不上至交的人。《另一面》(*The Other Side*，1993)展现了她造访的城市里（主要是在马尼拉和曼谷）的异装癖者和变性人。虽然戈尔丁有时被视为非波西米亚和反主流文化生活方式等题材不拍，但随着她的生活和私密朋友圈的变化，新的主题出现了。近年来，戈尔丁戒除了周期性的药物成瘾，开始接触更多阳光，于是她把日光融入自己的作品中（与她早期作品中靠闪光灯照亮的昏暗夜总会和酒吧影像形成了鲜明对比）。她的最新作品呈现了新的主题和拍摄对象，如朋友的婴儿、忠诚情侣间的性爱、诗意的风景以及巴洛克式静物。

戈尔丁开诚布公地谈到童年的创伤，下东区放荡不羁的生活，与药物成瘾和毁灭性的两性关系的抗争，这些至关重要的生活故事让我们相信，她的私密照片是她个人生活的真实记录，而不仅仅是虚情假意的人生观察。对于后来的私密生活摄影师同样重要的一个事实是，戈尔丁的作品进入艺术界实属意外：她最初拍摄照片，纯粹是出于个人目的，不是为了做摄影师成名成家。她毕业于艺术教育学院，没有走从商业摄影师助手起步的专业道路，这又减轻了外界对于她美化和润饰她镜头中的生活方式的质疑，而一些步她后尘的摄影师就难逃这样的质疑。

私密摄影有一套固有的保护机制，可抵御严厉的或过于负面的艺术批评。摄影师经年累月地积累大量作品，把自己的生活与持续的拍摄工作联系在一起。他们的一本新书或一次展览很少被全盘否定，因为那

图 133 荒木经惟，《色情》，1994—1996。

样就意味对摄影师的生活和他们的创作动机妄加道德评判。批评界接受另一位长期拍摄私密生活的日本摄影家荒木经惟（Nobuyoshi Araki，1940— ）[133] 时也有同样的情形。荒木在 1960 年代就以粗颗粒的、动感十足的日本街头生活摄影作品而崭露头角。作为日本《挑衅》杂志和书籍的撰稿人，他是摄影与创新平面设计最大胆、最具实验性的年代中的一员。今天，作为一名重要的艺术摄影师，荒木以处理露骨性爱题材而闻名，是淫乱摄影师的代表人物。他使用各种相机拍摄了数万幅照片，以其出神入化的流畅性，使女性身体、花卉、食物或街景有了直接的和心理的性冲击力。荒木是日本的名人，出版了近 200 本书(截至目前，荒木经惟出版的书籍已超过 500 本——译注)，书中照片的网格状排列、并置和编序充满活力。

不过直到 1990 年代初，荒木才开始在日本以外为人所知。他在西方被认可为艺术家，靠的是他作品中的主观性和胆大妄为。荒木拍摄的日本年轻女性的照片，被认为是他自己性生活的视觉日记，因为他宣称与具刻画的大部分女性发生了性关系。他的影像也经常被视为一种摄影式前戏，而不是超然的、盘剥式的窥淫行为。照片中罕见其他男性人物(男性通常充当女性的顾客或性伴侣)，这对维持作品的这种解读方式来说非常重要。有时候，摄影师与模特之间的关系被形容成是共谋关系，在某种程度上甚至暗示了荒木和他的照相机充当了这些女人的性幻想工具。也许更准确的描述应该是，这些女人怀着渴望和好奇，想要参与荒木的拍摄活动，成为他臭名昭著的作品的一部分。正因为他的摄影作品被认为是一部日记，坦陈了他对这些女人的真正欲望，所以关于他的作品可能带有色情和盘剥色彩的潜在争论就大大减少了。人们回避对荒木作品进行表面性解读，表明私密摄影能够规避纠缠其他很多当代艺术摄影师和摄影作品的种种争论。

美国摄影师和导演拉里·克拉克（Larry Clark，1943— ）对青少年的露骨刻画，就像戈尔丁和荒木经惟的作品一样，对当代摄影产生了深刻影响。他的《图尔萨》(*Tulsa*，1971)、《少年的渴望》(*Teenage*

图 134　拉里·克拉克，《无题》，1972。

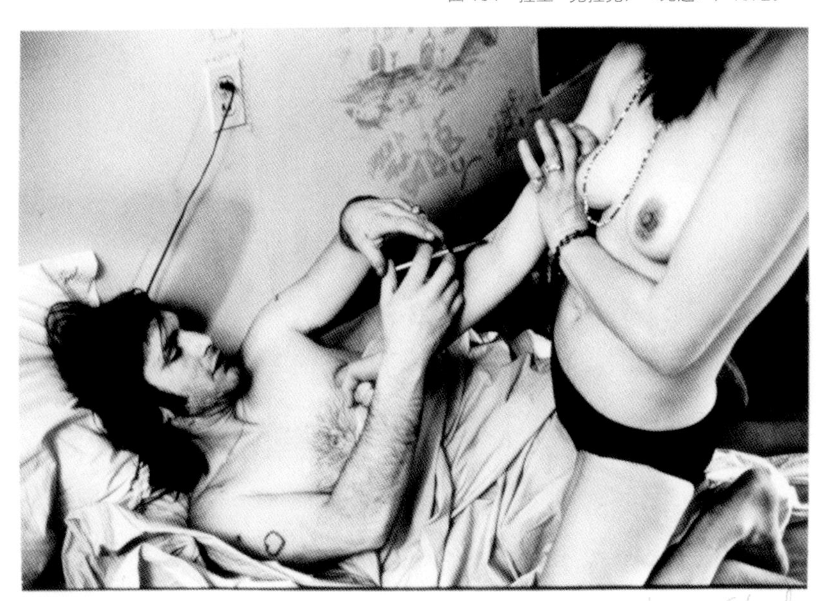

Lust，1983）、《1992 年》（*1992*，1992）和《完美童年》（*The Perfect Childhood*，1993）等摄影集，聚焦于失控的年轻人沉湎于性、药物和枪支的自我毁灭倾向上。《图尔萨》的拍摄始于 1963 年，收录了克拉克在二十几岁的青春岁月里所拍摄的粗颗粒黑白照片［134］。这些是他的最具自传色彩的作品，以日记手法记录了他和朋友们的青春期。到了出版《少年的渴望》时，克拉克年近三十，他刻画的青少年也变成了年轻一代的反叛者，他认同并融入了这一群体。克拉克以圈内人的身份记录了满怀虚无的青少年进入成年的过程，并用文字描述了与照片中的事件相关联的自我生活体验。他在一篇文章中表明了拍摄动机：这一题材是他年少时便渴望拍摄的，只不过时至成年才得偿所愿。虽然克拉克在 1980 年代就得到了艺术界的一些认可，但一直到 1995 年他的独立电影《半熟少年》（*Kids*）发行，他的名声才广为传播。影片的成功使人们重新关注他的早期摄影集，更多地认可他对于那些矫饰或抒情地再现少年的影像作品所作的令人不安的揭露。

1990 年代中期，主观的摄影写实主义的道德意义问题主要涉及时尚摄影界，而非艺术界。对艺术与时尚之间关系的全面探讨超出了本书范围，但有一点非常重要，不得不提：随着摄影在艺术市场的地位不断提升（虽然价格仍无法与绘画或雕塑平起平坐），而且当代艺术日趋时尚化，来自艺术创作的一些风格性标记也不可避免地渗透到时尚摄影中。特别是，私密摄影的兴起为时尚影像中注入活生生的写实主义提供了动力。自 1980 年代末起，在一群伦敦摄影师、设计师和美术指导的鼓吹之下，时髦生活杂志上开始出现所谓的“垃圾”时尚摄影。在戈尔丁的《性依赖叙事曲》和克拉克的《图尔萨》以及《少年的渴望》等摄影集的启发之下，1990 年代初出茅庐的时尚摄影师改弦更张，寻求剥去盛行于 1980 年代中期时尚摄影以高成本堆砌的虚假魅力，按照年轻人的喜好来量身定制、再现时尚。他们开始使用更年轻、更高挑的模特，放弃了浓妆艳抹和单调发式，用不加修饰的工作室和毫无魅力的郊区住宅室内环境取代带有异国情调的场地。不断求新的时尚业不久便开始在广告和光面纸内页采用这种反商业的姿态，因此招致越来越多的媒体批评，指控时尚界助长了虐童、吸毒和饮食失常之风。1997 年 5 月，时任美国总统的比尔 · 克林顿（Bill Clinton）发表了一篇声名狼藉的讲话，让“海洛因时尚”(heroin chic) 一词流行起来。克林顿的主要矛头针对当时的广告活动，认为使用形容枯槁、面无笑容的模特是对吸毒成瘾现象的美化，而那时正是海洛因成为时髦的社交药物之际。整体而言，当代艺术摄影避开了时尚摄影面对的责难（尽管克林顿在讲话中确实也提到了南 · 戈尔丁的作品，但把艺术家的名字误为丹 · 戈尔丁)，这也许可以归因于私密摄影所固有的自我保护能力。时尚摄影，因为其显而易见的商业意图，没有摄影师个人经历的真实性做担保，也不可能呈现私密生活那种悲伤的、情感丑陋的另一面，因此必然成为社会批评家们的靶子。

在这种风气下，有两位摄影师在艺术界脱颖而出。德国艺术家尤尔根 · 泰勒（Juergen Teller，1964— ）在克林顿发出谴责前就开始横跨时尚界和艺术界。早在 1990 年代初，他的摄影作品就在时尚业获得了极高地位，在后来的摄影集和影展中，他重新呈现了自己用 35 毫米相机拍摄的貌似随性的时尚摄影作品以及未曾发表的静物和家庭照片，得到了评论界的好评。泰勒的作品生动有趣，编排富有表现力，这是毫无疑问的，但因为出镜的都是模特和流行歌手，他们优越的生活方式或许被认为过于耀人眼目，所以一开始很难被艺术界严肃对待。1999 年，泰勒完成了《去看看》(*Go Sees*) 这个项目，它包括一部短片、一本摄影集和多场展览，最终得到了艺术界的认可。《去看看》的由头是模特受经纪人指派去见摄影师，以争取未来在时尚摄影中的出镜机会。在一年的时间里，泰勒拍摄了前来见他的模特，简单生动地记录了女孩子们毫无魅力的、不切实际的人生渴望。这个项目证明，他远非只会创作令人耳目一新但仍属供人消费的时尚影像，他能做的还有很多，他也能对这个行业提出批判。近年来，他继续沿这一脉络进行创作。在《童话的角落》

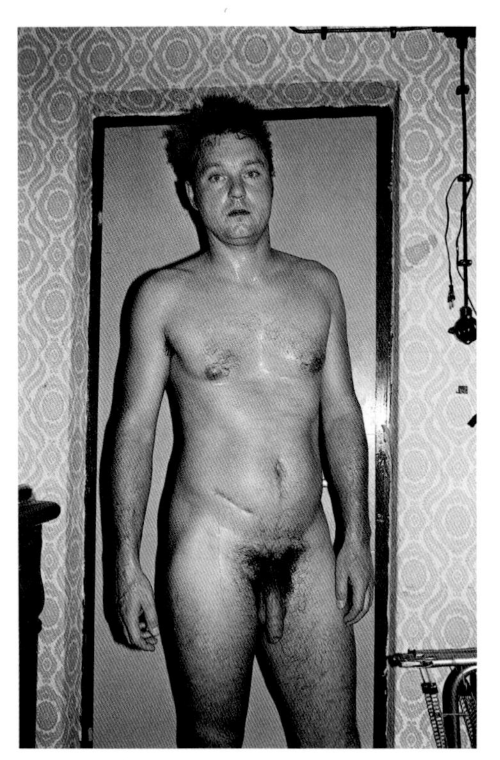

图 135 尤尔根·泰勒，《自拍像：桑拿浴》，2000。

（*Märchenstüberl*，2002）一书中，他把自己直白甚至野蛮的摄影敏感性向前推得更远。在这部作品中，他把照相机转而对准了自己［135］——考虑到他最初借以成名的时尚界背景，此举的意义更非同一般。

科琳娜·戴伊（Corinne Day，1965—2010）的时尚摄影作品虽然有着罕见的、持久的反叛精神，但她却明智地决定不在艺术世界的竞技场重新展示她在 1990 年代初创作的作品。戴伊最早接触摄影时，还是一位时装模特，她的创作开始于拍摄自己的模特伙伴们，她们把她拍的照片用在简历里。戴伊作品毫不做作，毫无自负之意，这引起了伦敦《脸面》（*The Face*）杂志美术总监的注意。她熟知镜头前后的生活，于是利用接受拍摄委托的机会，来揭穿时尚摄影的光鲜神话。她对时尚行业怀有敌意，她的模特经历有助而不是有碍于她在艺术界的成功。她很独特，因为她对自己的时尚摄影作品似乎没有任何商业野心；此外，她不经意间拿起相机开始了摄影创作，这种纯朴正是很多人孜孜以求的，如今几乎成了私密生活摄影师的先决条件。戴伊谢绝了把她最有名的时尚影像——比如凯特·摩斯（Kate Moss）的照片——送往艺术世界的提议，或许因为她明白，这些影像在杂志中可以保持激进的姿态，放进画廊就会失去全部意义。但她在 1990 年代末出版了一份个人生活记录，集中反映了癫痫的致命性发作、入院治疗、发现脑瘤这些事件。在《日记》（*Diary*，2000）中，戴伊住院等待手术，切除脑瘤，最后康复的影像，像一串不连贯的音符，穿插于她那些起起落落的社交圈的照片中间。这本摄影集和同时进行的影展，遵循了业已形成的私密摄影的呈现范式。除了书中正文后所附的资料外，整本摄影集唯一的文本就是手写的图片标题，这让人想到拉里·克拉克的《少年的渴望》。就内容而言，戴伊毫不忌讳拍摄自己和朋友脆弱私密的生活瞬间［136］，意味着《日记》中刻画的人类情感的深度和广度，完全符合南·戈尔丁确立的传统。

沃尔夫冈·提尔曼斯一直被描述为从时尚摄影起步，然后转向艺术界，这是不准确的。事实上，他不停地在各种展示场所（包括杂志、画廊和书籍）进行实验，表明了他从一开始便十分自信地理解自己的影像在意义和传播方面的潜在变化。1990 年代初，青年杂志都持反商业立场，这是年轻摄影师们最有可能得到的、令人兴奋的发表作品场所。从 1990 年代初开始，提尔曼斯以快照美学风格为朋友、俱乐部会员和社交

图 136　科琳娜·戴伊，《坐在洗手间里的塔拉》，1995。

图 137　沃尔夫冈·提尔曼斯，《卢茨和阿历克斯拥抱在一起》，1992。

场常客拍照，这些照片后来发表在伦敦《i-D》杂志上，这是一份与他趣味相投的刊物［137］。但是他不只以发表作品为满足，还有更有趣的创作动力。提尔曼斯利用摄影影像的可复制性，构建了一种动态叙事：他将各种尺寸的明信片、样片、喷墨打印照片和彩色照片混合在一起，创造出一种既刺激又具挑战性的不分层级的观看方式。在他的装置作品［138］中，他将旧作作为原始素材，在每一个展览现场构建新的影像节奏和关系，为观者提供另一个层面的直接观赏体验。将照片装裱在画框内，在画廊展墙上一字排开——提尔曼斯放弃了这种传统的、精致的影像作品展示方法，他的新方法成了艺术摄影展览的标志之一。

图 139　杰克 · 皮尔森，《斜倚的那不勒斯男孩》，1995。

图 138（对页）　沃尔夫冈 · 提尔曼斯，“如果有一件事很重要，那么一切都很重要”，布展现场，伦敦泰特美术馆，2003。

在美术馆展示摄影影像方面，提尔曼斯有不少影响极其深远的创新之举。他把不同尺幅、不同印制工艺和不同题材的照片混合布置在一起，塑造了每个展览现场的作品之间的关系，为观者提供了不同的观赏体验。

随性拍摄的影像赋予混合媒介的艺术装置作品的这种节奏感和叙事性修饰，从 1990 年代初开始流行起来。杰克 · 皮尔森（Jack Pierson）［139］拍摄的半裸人物和裸体男性的作品体现了诉诸感官的摄影是如何与装置作品——比如《银色杰基》（*Silver Jackie*，1991）——进行对话的。《银色杰基》是一个很小的平台，后面垂挂着一块粗劣的金属窗帘。皮尔森以懒人风格创作的私密摄影作品给人以

图 140 理查德·比林汉姆，《无题》，1994。

暗示：是谁或什么反映了他的视觉欲望或性欲望，由此，以其人生故事为本的作品的艺术感得以凸显。但同时，他的很多照片有编导的感觉，甚至采取了陈腐老套的形式，他这样做的目的，似乎刻意要将民间摄影的语言注入当代艺术中。

英国艺术家理查德·比林汉姆（Richard Billingham，1970— ）在 1990 年代因为令人难忘的家庭生活记录照片而一举成名。当时，他正在桑德兰艺术学院学习艺术（专攻绘画），拍摄了父母雷伊和丽茨以及哥哥詹森的一系列照片，作为画作的“草图”。一位来访的主考官恰好是一家报社的图片编辑，他在比林汉姆的画室看到这些照片，鼓励他用这些照片（而不是画作）来刻画他的家庭生活。1996 年，比林汉姆的摄影集《雷伊趣事》（*Ray's a Laugh*）出版，仅配了少量文字，收录了一系列效果极佳的影像：雷伊喝着家酿啤酒，跌了一跤，丽茨和雷伊在打架，詹森玩着电子游戏，一切都发生在西米德兰兹郡那间狭小凌乱的公寓里[140]。

对这部作品的评论大多反复强调比林汉姆青春年少、老实天真以及出身寒微。的确，比林汉姆在拍这些照片时，并没有想到照片最后会在伦敦皇家学院展出（1997 年那次名誉扫地的“感性”展），但如果说他拍摄的家庭快照毫无艺术眼光可言，这也很难让人信服。从根本上讲，他最初拍照的目的是要为自己的画作提供素材，不管他多么缺乏专业的摄影技巧，他举起相机得到的构图形式是可以转化为艺术的。此前，比林汉姆的作品也聚焦于混乱绝望的家庭生活，即便他不知道这是当代摄影已有的艺术策略，他所采取的，正是针对日常生活现实的批评性理解的立场。

尼克·韦普林顿（Nick Waplington，1965— ）的摄影集《人多势众》（*Safety in Numbers*），以非常复杂而活力毕现的系列影像配以手写体说明，对全球旅行盛行时期的青年文化进行了一次抱负不凡而冲劲十足的审视［141］。这个项目是与英国杂志《年少轻狂》（*Dazed and Confused*）合作的，该杂志承诺利用增刊分期发表韦普林顿的摄影作品。韦普林顿的摄影集，以其随性的摄影风格和具有强烈视觉冲击力的装帧设计，完美地捕捉到了他浪迹纽约、东京和悉尼期间遭遇的那些社会群体的共同理想和特殊气质。安娜·福克斯（Anna Fox，1961— ）的最新作品也许以另外一种方式，但以同样的表现力，揭示了社会行为的方方

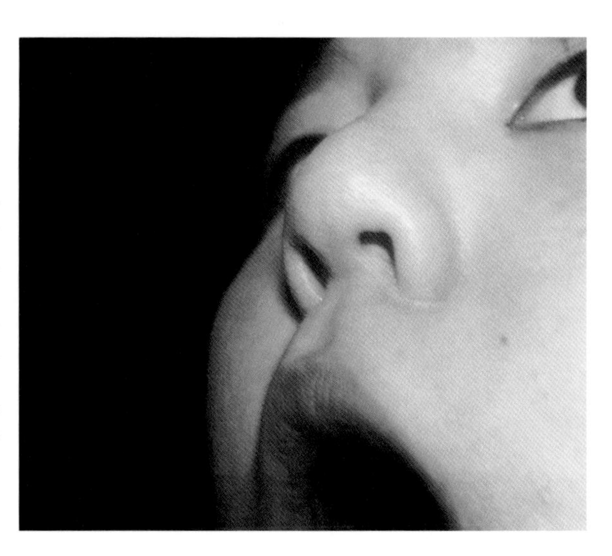

图 141　尼克·韦普林顿，《无题》，1996。
韦普林顿的摄影集《人多势众》，展现了一系列版面全出血（指印刷图像的四边超出裁切线——译注）的肖像、电视剧照以及从行驶的汽车和火车车窗拍到的景色。这种充满动感地组合在一起的作品，是韦普林顿周游世界探索当代年轻人文化的多样性和共同精神的结果。

面面。尽管福克斯最著名的纪实摄影作品与家庭无关，比如她的一个系列作品关注的是 1980 年代中期的办公室环境，但她也记录了自己的家庭生活。在家里，可供拍摄的主体和场景近在眼前，这为创作者探索某些东西的镜头表现提供了便利，同时也为他们提供了发现和彰显家庭生活独特性的机会。福克斯早期常用单幅影像来表现她孩子制作或丢弃的东西，近年来，她转而改用系列照片的形式来捕捉动作，展现叙事。在下面所示的系列作品中，福克斯拍摄了她的大儿子一连几天制作圣诞老人模型的过程［142］。滑稽可笑又令人毛骨悚然的塑像在系列照片中逐渐成形了，而福克斯不仅记录了孩子们想象的成果，也昭示了在雕塑与这种随性的、直觉的摄影创作中固有的游戏性和创造力的密切关系。

瑞恩·麦金利（Ryan McGinley，1977— ）2003 年在纽约惠特尼美国艺术博物馆的展览事先被大肆宣传，说私密摄影已成为一种规范的摄

图 142　安娜·福克斯，引自《圣诞老人的兴衰，2002 年 11—12 月》系列，2002。
摄影师福克斯拍摄了她长子的这个“圣诞老人”项目，包括了从制作、改进到最终形成的全过程。傻瓜相机拍摄的这个模型的各个阶段都有一种神秘而古怪的气息，而用机器冲印的照片的鲜艳色彩又加重了这一点。

图 143 瑞恩 · 麦金利，《格洛丽亚》，2003。

影类型，而像麦金利这样真实记录生活的年轻艺术家们也熟知当代艺术中的私密摄影传统。一位崭露头角的摄影师要想不经意间拍出神似南 · 戈尔丁的作品，这是越发不可能了。麦金利年少时遇到了拉里 · 克拉克，在纽约学习平面设计时开始从事摄影。这段业已公开的人生经历隐含地告诉我们：从一开始他就知道，他和朋友的生活影像有一天或许能得到公众关注。麦金利很多作品的拍摄地点是在曼哈顿下东区，那也是南 · 戈尔丁早期作品的拍摄地，但从 1970 年代末以来那里已经贵族化，不是从前的模样了。这也许意味着，麦金利的私密生活摄影是在回应和改造一种公认的传统。他的作品的创新之处在于，之前私密摄影中那种明显的焦虑和痛苦不见了，取而代之的是一种心照不宣的诙谐趣味，摄影师与被拍摄对象之间的合作关系，以构建艺术世界的公共语境所需的影像叙事［143］。

利川裕美（Toshikawa Hiromi，1976— ）的快照摄影作品（包括自拍像、朋友肖像、旅行照和家庭生活影像），为她在祖国日本赢得了偶像般的地位。她的日记式摄影作品大受欢迎的原因主要是，年轻一代摄影

图 144　利川裕美，引自《西洛米克斯》，1998。
利川裕美 24 岁时就已出版五本摄影集，这一定程度反映了日记式的私密摄影作品非常适合作为影集出版，适合用书页间的照片并置和视觉节奏来营造叙事。这一现象也表明，日本非常流行将摄影项目转化为摄影集出版，而这反过来影响了西方摄影集的装帧设计。

图 145　杨勇，《隧道幻想》，2003。

师的新作一方面具有荒木经惟的自发性和直接性，另一方面又有自己的新态度、新故事。利川裕美的性别、美貌和青春气息显然与荒木的很多模特的形象相吻合。她传达了私密摄影可以提供的那种艺术自由感：摄影师把个人角色投注于自己所描述的生活之中，而不像其他创作实践，个人角色常被用于处理年龄和性别这些刻板老套的概念［144］。

有些私密摄影创作牵涉到了整个群体，他们为了艺术消费而展现自己的生活。中国艺术家杨勇（1975— ）拍摄了自己的朋友，再现了中国都市年轻人的生活态度［145］。他的影像多数在中国金融重镇深圳夜晚的街道上拍摄，他与拍摄对象一起合作编导了场景。这些照片并不具有高度表演性，着重表现情绪（比如无聊），常常流露一种苦苦等待、无事可做的气氛。杨勇及其合作者将时尚和生活杂志流行的态度和姿态，尤其是这些媒体所再现的 1990 年代青年文化，渗透到自己的生活中。亚利桑德拉·桑吉内蒂（Alessandra Sanguinetti，1968— ）与住在阿根廷布宜诺斯艾利斯城外的两位表妹合作，完成了一项为期四年的摄影项目

图 146　亚利桑德拉·桑吉内蒂，《我的爱》，2002。

[146]。这一项目聚焦于两位少女决定如何通过戏剧性表演和乔装打扮的方式来展现自己。摄影师记录或协助她们的自我表现，但不指导表演。桑吉内蒂和表妹之间这种亲密且相互信任的关系，使她能够拍出别的更细致入微的影像：她们从自己表演的角色中走出来时的种种情形。

安妮丽斯·什特尔巴（Annelies Strba，1947— ）20 多年来一直在拍摄自己的亲人，先是两个女儿，后来是孙子萨缪尔-马西亚 [147]。从某种意义上讲，家人对什特尔巴拍摄他们的日常生活已习以为常，泰

图 147　安妮丽斯·什特尔巴，《镜中》，1997。

然处之。相机的倾斜视角和模糊的图像表明，什特尔巴是在不干扰家人的情况下动作迅速地记录下他们的生活的。她很少出现在照片中，而我们从这些影像中可以感觉到她的在场、她的视点。有时候，孩子们会面对相机，与她交流互动。她在家中的位置以一种更为微妙的方式体现出来——是她决定何时按下快门：他们吃喝、睡觉、洗漱的时候，他们在家里走来走去的时候。在《时光的影子》(*Shades of Time*，1998）一书中，什特尔巴把家庭生活影像和风景、建筑场景和家庭老照片交织起来，

图 148　露丝 · 埃尔德，《巴布洛》，2001。
瑞士摄影师露丝 · 埃尔德把 16 年来拍摄朋友、恋人和家人的肖像照集结出版，自然的和摆拍的肖像都被纳入书中，给人以这样的感觉：她的亲友不但接受，还协助她拍摄日常生活。

图 149　埃莉诺 · 卡鲁奇，《我的母亲和我》，2000。

赋予家族影像一种历史、地理和个人化的语境。

露丝 · 埃尔德（Ruth Erdt，1965— ）［148］和埃莉诺 · 卡鲁奇（Elinor Carucci，1971— ）［149］拍摄的各自家庭的照片，以强烈的感官，突出了个人生活的原型叙事，例如母女之间的纽带，即将步入成年的孩子。不同于家庭快照那种明显的风格，她们的拍摄手法带有中立性。在这里，摄影师在刻画与他们所爱的人之间关系的同时，也在努力寻找一种摄影形式，让影像里的情感纽带和生活瞬间具有一种普世性。埃尔德和卡鲁奇的作品都刻意削减了衣饰和家庭环境等细节，避免让影像透露出特定的年代或变得过于具体。艺术家以这种手法呈现人际关系，来彰显影像的象征意义和非特定品质。

前面我们已经讨论过，私密摄影师常常以快照美学风格，或开放的心态，来再现家庭生活自然的一面，但这并不是再现私密生活的唯一方式。蒂娜 · 巴尼（Tina Barney，1945— ）长期拍摄她那个位于美国东海岸的富庶家庭，采用完全不同于快照风格的手法，创作出了刻画家庭纽带的标杆性艺术摄影作品。巴尼以自己所称的人类学式考察手法，拍摄了礼

图 150　蒂娜·巴尼，《菲利浦父子》，1996。

仪、姿态和环境，作为探索人际关系和社会地位的文化建构的线索。与本章中的很多影像不同，她作品中的场景看起来像是编导过的。拍摄对象的那种镇静自若，实际上是他们意识到自己在被拍摄时的一种简单反应［150］。巴尼采用了类似 19 世纪肖像摄影的手法，在她快速更换胶片盒，马上取景构图的过程中，她并不打断所有正常的活动，只是在拍摄时才让拍摄对象顺从地停下来配合。巴尼的手法也许不同于使用傻瓜相机拍摄时的那种随性风格，她要等待被摄者无意中流露出个人性格和人际关系本质的那个时刻。被摄者之间的空间关系被凸显出来，家族成员之间心理上亲疏关系也可略知一二，比如照片中谁面对着相机，谁转过脸去。巴尼精心地将一群人框入一个画面中，目的是要给观者一个印象：这些个体构成了一个家庭，但他们之间的亲疏远近尽在脸上。

刻画家庭关系中的这种张力的最有影响力、最全面的作品，是美国艺术家拉里·萨尔坦（Larry Sultan，1946—2009）完成的。他的《家庭照片》（*Pictures from Home*）出版于 1992 年，他最早开始这个拍摄项目的十年之后。这是一部他充满情感地探索父母的作品。一些照片是摆拍的——萨尔坦说，在他与父母协商，征得了他们的同意后，拍下了他们做家务的情形。其他一些照片（如图 151 所示）则是萨尔坦很有感情地参与父母的日常生活过程中随性拍下的。该书还收录了家庭旧照和从 8 毫米电影胶片中获取的定格画面，其中有他父母在专业会议和社交聚会上的影像，展现了萨尔坦孩提时并未参与其中的双亲生活。还有母亲的照片，以及萨尔坦小时候的照片和录像画面，都是他父亲拍摄的，都流露出了亲人间质朴的真情。摄影集也收录了一家三人针对萨尔坦的这个拍摄项目的谈话记录，这份记录同样传达出一种追溯家族历史的感觉。

美国人米奇·爱泼斯坦（Mitch Epstein，1952— ）为期四年的拍摄项目《家族生意》（*Family Business*）的核心人物是他的父亲［152］。父亲陷入危机，生活发生困难，为了帮助父母渡过难关，爱泼斯坦回到家乡，由此开始了这个拍摄项目。爱泼斯坦开始使用相机和 DVD 摄影机，来探索父亲的勤奋和诚信——这是符合美国战后的文化价值观的——是如何导致个人和家庭的悲剧的。《家族生意》包含了大量的视觉元素。爱泼斯坦拍摄了父亲生活的室内环境，包括他的住宅、公司和乡村俱乐部。他还拍摄了一系列人物肖像，诸如父亲的员工、家人和朋友。在 DVD 中，爱泼斯坦再现了父亲这个生命阶段中的关键性瞬间，包括从心脏手术中康复、清理家具店的库存准备清算拍卖等。摄影师的种种努力让摄影集充满了张力：带着强烈的感情，用微妙的方式让主题更形象化，捕捉与

BOWL FREE

图 151　拉里·萨尔坦，《厨房餐桌边的争吵》，1986。

萨尔坦的摄影项目《家庭照片》（*Pictures from Home*）集合了摆拍和随性抓拍的影像，以及家族老照片和电影片段，对家庭纽带进行了非常生动的刻画。这个项目也对父母之间精彩互动作了十分细致的观察。

图 152　米奇·爱泼斯坦，《父亲（4）》，2003。
爱泼斯坦的《家族生意》项目围绕着他的父亲这一核心人物展开，以同时期美国社会文化和经济的变化为背景，全面审视了父亲的人生波折。

主题有关的所有场景——从最简单的动作，到外人看来毫无意义、其实充满象征意义的细节。就像蒂娜·巴尼一样，爱泼斯坦在拍摄自己熟悉的对象时，也成功地采用了保持一定距离的摄影视角。

在科林·格雷（Colin Gray，1956—）记录自己与父母的关系的长期过程中，照相机扮演了不同的角色。当谈及自己摄影经验的形成过程时，格雷把照相机说成是一种象征性的工具和手段：控制家庭的感情纽带的工具，将感情纽带形象化的手段。1980 年，他返回家中，为父母拍照，请他们在他编导的场景中担任角色，用相机重演过去的共同记忆，以表现他们之间的情感关系。他与父母的最近一次合作始于 2000 年，重点记录年迈的父母恶化的身体状况［153］。这个系列记录父母日常生活轨

图 153　科林·格雷，《无题》，2002。

图 154　埃琳娜 · 博劳瑟斯，《马先生的鼻子》，1999。

图 155　布蕾达 · 贝班，《死亡奇迹》，2000。
贝班的视觉日记记录了她把生活和创作伴侣的骨灰盒从一个房间挪到另一个房间的过程，直白地呈现了内心的失落感。贝班和霍尔瓦蒂奇合作的电影和摄影作品常常重复出现同样的动作和仪式，所以，这一系列给人的感觉是，这是再现两人昔日合力创作之作。

迹的转变——比如，他们去医院和教堂的次数越来越多——也再现了他们的角色变化：母亲中风后，父亲成了主要护理者。格雷认为这个项目能有助于观者体会他内心深深的痛苦，以及面对亲人的风烛残年的无助感。摄影在此被用来传达慢慢失去亲人的共同体验，也成了摄影师精神宣泄的渠道。

在上文的讨论中，我们谈到私密生活摄影已经从对朋友圈和家庭戏剧性事件的生动刻画，转向了更加寂寥、超然和孤独的肖像刻画。这种状态在芬兰摄影师埃琳娜·博劳瑟斯（Elina Brotherus，1972— ）的作品中成了反复出现的主题，她总是在觉得最迟疑不决、情绪不稳定时，恰到好处地拍下自己的生活。《法式套房》（*Suites Françaises*）［154］是博劳瑟斯 1999 年在法国参加艺术家驻地项目时创作的作品，她当时正因远离了平日的生活圈、无法用外语和他人沟通而苦苦挣扎。博劳瑟斯把便条贴满自己简朴的居室内，便条上写着她正在学习的法语单词短语。这些照片展现了她用来尝试学习法语的技巧，有着动人的喜剧效果。一些短语对于她在异国他乡的日常生活有实际用处，另外一些则是博劳瑟斯拼凑而成的，然后把它们表演出来（就像这幅照片所呈现的），玩笑似的指出了自己在学习一门新的语言时，只能用乏味、幼稚的言辞与人交流的状态。

布蕾达·贝班（Breda Beban，1952— ）的《死亡奇迹》（*The Miracle of Death*）［155］系列也感人地传达了摄影师的情绪状态。这些影像刻画了贝班在自己的生活和创作伴侣赫尔维奇·霍尔瓦蒂奇（Hrvoje Horvatic）1997 年去世后体会到的深切失落。她拍摄了放在家里的装着霍尔瓦蒂奇骨灰的盒子，房间里还有他的个人物品以及他们共同生活的痕迹。这个系列记录了贝班不断移动骨灰盒，无法给它一个固定的处所，由此暗示她无法接受痛失亲人的现实。贝班的作品体现了私密摄影所具有的能力：只刻画生活细节，无需刻意渲染，便可呈现人类情感的深度。

图156（组图） 苏菲·里斯特修卜，《伊拉克》，2001。

苏菲·里斯特修卜这样描述她的2000年和2001年的伊拉克经历："从远古时代到第一次海湾战争，几千年的历史一下子被压缩了：脚底下是世界最古老的文明，头顶上是执行侦察任务的美国人的F16战机。从有关贝鲁特的创作开始，那化石般的景象在我心头一直挥之不去，这长达二十多年的创作周期，如今将告终结。"

第六章　历史瞬间

本章将考察摄影如何见证人类生活和世界大事。摄影家如何重拾纪实摄影的力量，在新的创作中利用艺术策略来追求照片的社会意义？纪实摄影委托项目大幅度减少，电视和数字媒体成为最直接的信息载体——面对这样的困境，摄影的应对之策就是，利用艺术所提供的不同思潮和语境寻求创作空间。

总的来说，当代艺术摄影一直采取反新闻报道的立场：他们放慢影像创作的速度，远离事件的中心，在决定性瞬间过去之后才抵达现场。在战争和人祸现场极少使用的中画幅和大画幅相机（而不是常见的 35 毫米相机）——至少从 19 世纪中期以来就是如此——现在却成为新生代摄影师的必备装备，这表明，他们正以精心的设计和严肃思考的态度来刻画这个世界。他们也选取了不同的摄影题材。他们不再卷入混乱的事件中心，或近距离接触别人的痛苦和苦难；相反，他们以特有的视点和风格再现悲剧过后所留下的残迹。

法国艺术家苏菲 · 里斯特修卜（Sophie Ristelhueber，1949— ）是用这种模式进行创作的最有影响力的摄影师之一。从 1980 年代初黎巴嫩内战期间的贝鲁特，到新世纪初乌兹别克斯坦、塔吉克斯坦和阿塞拜

图 157 威利 · 多尔蒂，《黑暗的污点》，1997。
威利 · 多尔蒂、保罗 · 西赖特、大卫 · 法雷尔和安东尼 · 豪伊等英国艺术家，使用不同的视觉策略来再现北爱尔兰冲突。多尔蒂使用了摄影的寓言手法，揭示了如何用不同于传统的新闻纪实摄影的视觉手段来表现复杂的政治局势。

疆脆弱的边境，里斯特修卜将不断重复上演的自然和文明毁灭的悲剧化为影像。1991 年，第一次海湾战争结束之后，她赶赴科威特航拍了轰炸和部队移动留下的痕迹，在地面拍摄了令人心碎的战争残留物，例如丢弃的衣物和成堆的弹壳。这个拍摄项目被题为《事实》(*Fait*)，法语中该词也有“完成”或“造成”的意思。战争冷酷而深不可测的一连串代价与后果，在里斯特修卜 2000 年和 2001 年的《伊拉克》(*Iraq*) 系列中表现得尤为明显 [156]。在她对战争造成的大规模毁坏不加掩饰的视觉呈现中，烧焦的树桩充当了人的生命和当地丰富的生态遭受损失的隐喻。

从 1990 年代以来，北爱尔兰艺术家威利 · 多尔蒂 (Willie Doherty, 1959—) 把北爱尔兰的武装冲突作为自己录像和摄影作品的核心主题。他同时采用多种形式，在画廊中为观者提供复杂的爱尔兰历史体验，比如，有时他使用音频展现持不同政治立场的冲突各方的不同声音。多尔蒂用照片展现了边缘地区和废弃空间的腐败废物，以表示北爱尔兰政治和军事动荡对经济和社会造成的巨大破坏。《黑暗的污点》(*Dark Stain*)［157］这张照片最能体现多尔蒂作品中流露的令人悲伤的荒凉感，而标题指涉了基督教中的原罪概念，以及此概念在爱尔兰政治辞藻中的意义。

扎琳娜·比姆基（Zarina Bhimji，1963— ）用影片和摄影进行创作，描述无法辨认的空间的物质性和时间感，由此考察影像如何与消除、根除、灭绝这类叙事产生共鸣。她的审美取向类似本章其他艺术家的创作实践：她选择的形式极具寓意功能，因为这些形式极端简洁，这种寓意始终保持不确定性。在灯箱系列作品《陷入柏油的记忆》(*Memories were Trapped Inside the Asphalt*)［158］里，比姆基的静物构成了有关变化了的、悬而未决的处境的一则隐喻，在这样的处境里，日常的逻辑不再适用。

图 158　扎琳娜·比姆基，《陷入柏油的记忆》，1998—2003。
比姆基这样谈及这个有关乌干达的拍摄项目："学着去倾听差异：用眼睛听，听色调的变化，听色彩的变化。"

图 159 安东尼·豪伊，《波斯尼亚的雷区》，1999。
安东尼·豪伊的《争议领土》系列拍摄于爱尔兰、波斯尼亚和科索沃。自然风景中出现的脆弱的边界标志，是一则内战所造成的政治和社会后果的隐喻。

寓言手法在安东尼·豪伊（Anthony Haughey，1963— ）的作品中也有所表现。他拍摄世界各国的领土边界，他拍摄的 1990 年代末的巴尔干半岛地区的照片，成了《争议领土》系列（*Disputed Territory*）［159］的一部分，这个至今仍在进行的拍摄项目始于爱尔兰共和国和北爱尔兰边境。从他的照片的细节中，我们可以看到战争的创伤是如何彻底改变一个地区及其文化的。豪伊聚焦于昔日暴行所留下的细微而模糊的痕迹，以象征手法再现了冲突过后的波斯尼亚和科索沃。如今，这种象征性表现手法在当代艺术摄影中已非常普遍。以色列艺术家奥利·戈什特（Ori Gersht，1967— ）的《无题空间（3）》（*Untitled Space 3*）［160］出自他在朱迪亚沙漠夜间创作的系列作品，我们看到，摄影师微弱的闪光灯照亮地面，而前方的道路完全被黑暗吞没。黑暗是空虚、非人道的虚无和失落的视觉影像，是前途未卜和大逃亡的隐喻，借此将当代以色列与旧约的历史紧密相连；黑暗也是一则寓言，表明了摄影家在刻画战争时所遇到的困境：如何再现人类苦难的巨大和惨痛，如何再现冲突的凶残和复杂。以艺术的传统手法视觉化地呈现社会事件和历史后果，如今已成规范的创作模式。英国艺术家保罗·西赖特（Paul Seawright，1965— ）的《隐藏》（*Hidden*）系列拍摄于2002年，展现了徒劳无益、令人悲伤的战争景象，那时他和其他艺术家一起受伦敦帝国战争博物馆的委托，前去阿富汗拍摄那里的武装冲突。在《山谷》（*Valley*）[161]

图160　奥利·戈什特，《无题空间（3）》，2001。
这张照片拍摄于戈什特穿越犹太沙漠的旅行途中，刻画了持不同政见者和难民躲避迫害的传统庇护地。这张照片拍摄于巴勒斯坦人发起的一次暴乱之初，这个地方因此代表了一个让人担忧又具有潜在危险的地方。

图 161 保罗 · 西赖特，《山谷》，2002。

中，西赖特拍摄了散落着炮弹壳的山间曲径，构图手法让人想到英国早期摄影师罗杰 · 芬顿（Roger Fenton，1819—1869）的战争摄影。在芬顿拍摄的克里米亚战争的照片里，有一张展现了战斗之后加农炮弹壳散落战场的荒凉景象。借鉴旧日影像来思考当下世界的事件，这一手法在西蒙 · 诺福克（Simon Norfolk，1963— ）拍摄的有关阿富汗的作品中也显而易见［162］。轰炸毁掉的建筑残骸宛如荒芜的平原上充满浪漫气息的废墟，让人想到 18 世纪晚期的西方风景绘画。在这种向旧日画意风格的回归背后，有着一种合理而特殊的理由，它尖锐且具有讽刺意味地指向了一个事实：战争的巨大破坏使这个古老的、文化极为丰富的地区退回到前现代状态。

当摄影师聚焦于人物题材、社会冲突或不公的后果时，他们所采用的最普遍的形式之一就是第三章讨论过的无表情摄影。关于这类摄影，有一种常见的说法：拍摄对象控制了他们自己的呈现方式，摄影师只不过见证了他们的存在状态和镇定神情。照片的配文和说明因此就非常关键，它们传达真实信息，揭示被拍摄者承受和经历了什么，他们是谁，拍摄照片的此时他们在哪里。有时照片旁边也会展示被摄对象说的话，不仅让他们发出自己的声音，而且证实摄影师作为中间者的身份。为画廊和摄影书项目拍摄群体肖像，比受委托拍摄新闻事件要费时更长，而且通常需要反复往返拍摄。这样的事实往往会在照片的配文中提到，以证明这样的艺术拍摄项目是有不同于新闻报道的价值的。摄影师必须花

图 162　西蒙 · 诺福克，《被摧毁的无线电装置，喀布尔，2001 年 12 月》，2001。
诺福克拍摄的满目疮痍的阿富汗影像，在风格上类似于浪漫主义时代欧洲艺术家们对衰落的伟大文明的描绘。阿富汗的战争在这片土地上留下了一道道疮疤，诺福克拍摄的这个地方看似一个古老的考古遗址。

图 163　法扎尔 · 谢赫，《哈里玛 · 阿卜杜拉》。
哈桑和孙子穆罕默德，摄于肯尼亚达加哈莱的索马里难民营，2000 年。穆罕默德八年前曾在曼德拉哺育中心接受治疗。

图 164　昌昭，《年轻僧侣，1997 年 6 月》，2000。
昌昭说他的系列作品《出问题了》“差不多是一种自我清算”。他移民西方之后，曾多次回来探访靠近他祖国缅甸的边境难民营，拍摄那些流离失所或被迫离开缅甸的人。

图 165 兹维勒图·姆特瓦，《无题》，2003。

时间与被拍摄对象打成一片，等拍摄时机成熟时，从一个知情人、但还是外人的立场来拍摄他们。

法扎尔·谢赫（Fazal Sheikh，1965— ）主要拍摄生活在难民营的个人与家庭。他采用黑白摄影的形式，既表示抗拒那诱人的彩色照片时尚，也表明他的作品是目的严肃的纪实肖像。这里展示的作品出自他的《儿子的骆驼》(*A Camel for the Son*)［163］系列，该系列记录了生活在肯尼亚难民营的索马里难民。谢赫聚焦于女性难民，记录了她们在索马里，在难民营遭受的人权侵害。谢赫挑选特定对象来拍摄，用黑白胶片赋予她们尊严和看似不朽的品质，而所配的文字详细叙述了她们每一个人的人生遭遇，意味着这些照片介于肖像摄影和人物刻画之间。谢赫不遗余力，详尽描述每一位拍摄对象的经历，以确保我们能充分了解她们。我们读到她们冤屈的故事，又将这一切投射到她们的面孔和身体上。

昌昭（Chan Chao，1966— ）的《出问题了》(*Something Went Wrong*)

图 166 亚当 · 布鲁姆伯格和奥利弗 · 沙纳林，《蒂米、彼得和弗雷德里克，波尔斯莫监狱》，2002。
“他们三人同住一间囚室，所以如果一个人对另外一个人施暴，就会有一个目击证人。三人中有一个人是抵御邪恶的保障。”

是缅甸难民的肖像系列，这些难民在 1988 年缅甸国家法律和秩序恢复委员会采取专制统治之后逃离了缅甸。这些个人肖像表现出他们在丛林临时搭建的难民营里的艰难生活，在拍摄时他们暂停了手头的事情。《年轻僧侣，1997 年 6 月》(*Young Buddhist Monk, June 1997*)［164］这张照片的标题说明，这个年轻人曾是学生武装组织“全缅学生民主阵线”(ABSDF)的成员。图片说明的意义在于以下两点：文本信息是我们理解影像的关键；纪实摄影可能只是某些人侥幸存活的证据，是他们生命经历的标志。

南非摄影师兹维勒图 · 姆特瓦（Zwelethu Mthethwa，1960— ）对开普敦郊外棚户区的家庭和人物所做的广泛记录［165］，成功地刻画了在危难境遇中维护身份和自尊的人民。1980 年代，南非政策越发宽松，黑人逐渐走出种族隔离区，这导致农村黑人人口大规模流入城市，到临时社区寻找工作。尽管非洲人国民大会(ANC)在 1994 年开始接管政权，但这些定居点却几乎毫无变化。姆特瓦记录了棚户住宅自家搭建的独特性，并让拍摄对象决定如何呈现自己，穿什么衣服，怎么摆姿势，怎么布置自己的个人物品，全由他们自行决定。

21世纪初，亚当·布鲁姆伯格（Adam Broomberg，1970— ）和奥利弗·沙纳林（Oliver Chanarin，1971— ）以贝纳通（Benetton）旗下《色彩》杂志（*Colors*，近年来少数明确着眼于全球问题的摄影杂志之一）摄影师和创意编辑的身份，开始接触不同的国际群体。他们根据社会议题来编辑刊物，例如精神病治疗、难民和刑罚制度。这里展示的照片[166]最早发表在《色彩》杂志，后来又被录于他们的摄影集《贫民窟》（*Ghetto*，2003）及相关的展览中。摄影集或展览都会列出拍摄对象的姓名，同时

图167　迪尔德丽·奥卡拉汉，《BBC一台，2001年3月》。
奥卡拉汉的拍摄项目《藏起那个罐子》刻画了伦敦一家男性收容所中的居住者。奥卡拉汉陪同其中一些人在假日返回爱尔兰，亲眼目睹了他们的行为和自尊在离开收容所的机构化生活之后会发生什么变化。对不少返乡的爱尔兰男人来说，这是在失联数十年后与家人的首次重聚。

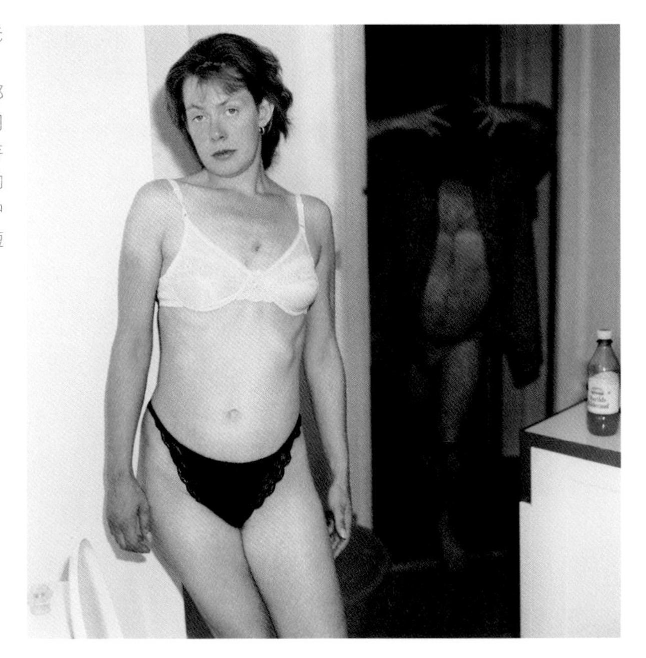

图 168 特里内·森德贾德，《无题影像 #24》，1997。
森德贾德作品中刻画的女性都是性工作者。她们呈现出相同的姿态：意识到照相机的存在，与摄影师合作记录她们的生活和交易状态。而男性客户则很少完全出现，往往只是短暂地在照片中匿名出现。

图 169 李典宇，《无题》，2001 年 5 月。
这些照片拍摄于生活在英国北部的中国非法移民不宽敞的住处里。李典宇拍摄了他们从中国带来的纪念品，例如一小袋泥土。他还拍摄了这些住处内部的视觉符号，例如当作床头柜的“帆船牌”纸箱。

引用他们说过的话。布鲁姆伯格和沙纳林删减并放慢了监狱里的活动，使之适合于大画幅相机的拍摄，这样，这个拍摄项目便与19世纪的纪实摄影相联系，又与新闻报道摄影的传统相分离。在迪尔德丽·奥卡拉汉（Deirdre O' Callaghan，1969— ）拍摄的伦敦男子收容所的一位住客的肖像中，这位住客那一串不合时宜的珍珠，成为他顽强自尊的象征［167］。奥卡拉汉的这个关于收容所的拍摄项目《藏起那个罐子》（*Hide That Can*）耗时四年才得以完成。收容所里很多住客都是年轻时来到伦敦靠体力劳动赚钱的爱尔兰人，如今已经五六十岁。就像很多爱尔兰年轻男女一样，奥卡拉汉在1990年代初也来到伦敦谋生，同为生计而背井离乡，她对收容所住客有着深切的同情。一开始，奥卡拉汉只是偶尔拍摄这些人，更多时间花在与他们相熟上。之后，她的拍摄项目成了这些人日常生活的一部分，而奥卡拉汉也和他们交谈，倾听他们的人生遭遇，见证他们的艰难处境。

1997—1998年间，丹麦艺术家特里内·森德贾德（Trine Søndergaard，1972— ）拍摄了丹麦哥本哈根中央车站附近的女性性工作者，包括她们跟客人在一起或者歇班时的生活［168］。影像中缺少光鲜妖艳，展现了女性令人心酸的现实处境。森德贾德的这个摄影项目的着力点是非常均衡的，它并不以这些女人的艳情时刻为重点，而是不慌不忙地刻画了她们的日常生活和所处的环境。我们由此理解她们是如何从那种非人性的工作中挺过来的。

李典宇（Dinu Li，1965— ）的系列作品《秘影》（*Secret Shadows*）拍摄的主题是英国北部的中国非法移民，因为这些人的非法居留身份，他们的个人身份必须保密，因此摄影师不能选择用肖像照的方式呈现。不过，他们的私人物品成了李典宇作品的主题［169］，借此形象地再现了体现这些外国劳工身份特征的价值观、生活现状和个人记忆。在瑞典北部的田野和林中，玛格丽塔·克林伯格（Margareta Klingberg，1942— ）找到了那些为果酱公司工作的泰国和东欧非法移民工人，接近那些不为人关注也不受保护的劳动者［170］。工人们意识到自己正在被拍摄，但构图的随性色彩表明拍摄过程极为迅速，就像家庭肖像或假日抓拍。把照相机架在三脚架上，可以更从容地拍摄，但也许会引起被拍摄对象的疑心，觉得克林伯格肯定在为官方拍照。这些作品的影响力，正在于让我们看到了日常生活或者视觉影像中很难看到的一个社会群体。

“纪实摄影”一词出现于1920年代，从那以来这类摄影的关注对象一直是社会上被无视的边缘人群。这样的影像今天更可能出现在艺术家的摄影集和展览中，而不是在杂志或报纸副刊中，这标志着摄影语境发生了变化。在艺术界，纪实摄影绝非主要的摄影形式，不过在少数重要的艺术家那里，它依然是一件重要的社会和政治工具。

图170　玛格丽塔·克林伯格，《吕弗斯约霍尔登》，2000—2001。

图 171（对页） 艾伦·塞库拉，《寻觅“美好结局号”抛锚、漂流船帆的结局》，1993—2000。

艾伦·塞库拉的《鱼的故事》系列，展现了海洋产业的历史和当下现状。这些作品是在海上，在美国、韩国、苏格兰和波兰的港口城市拍摄的。塞库拉通过照片、文本和幻灯放映，构建了一个详尽的故事。

图 172（下图） 保罗·格雷厄姆，《无题，2002 年（8 月）#60》，2002。

从 1980 年代中叶以来，格雷厄姆一直在试图探索着眼于社会和政治问题的当代艺术实践的视觉界限。《美国之夜》也许是他迄今为止最极端的摄影美学实验，试图再现美国政治在对待社会和经济的种族鸿沟方面缺乏透明度。

近 25 年来，加拿大艺术家艾伦·塞库拉（Allan Sekula，1951— ）在他的文章和摄影作品中表明这样一个非常有力的观点：艺术为何以及如何才能对塑造这个世界的重要经济和社会力量进行透彻的、政治性的考察。塞库拉的摄影作品很难被刻意简化为有关他的研究对象的标志性影像或描述。他以这种创作策略抗拒被艺术市场消费，但同时在国际（特别是欧洲）展览界中始终占据重要位置。在耗时多年的大型创作项目《鱼的故事》(*Fish Story*)［171］中，塞库拉考察了现代海洋产业的现实。他利用照片、幻灯系列和文本将海洋贸易航路的历史同这一行业今天面临的问题交织在一起。塞库拉并没有把国际海港表现成充满历史怀旧感

图 173 保罗 · 格雷厄姆，《无题，2001 年（加利福尼亚）》，2001。

的地点，而是刻画了这种散布在世界各地海域的贸易方式，经常被全球化忘却，却具备政治上的重要意义。

保罗 · 格雷厄姆（Paul Graham，1956— ）的《美国之夜》（*American Night*）系列［172，173］始于 1998 年，历时五年完成。大部分影像展现的是漂白了的道路或人行道，走在路上的非裔美国人依稀可见。照片的戏剧化漂色或模糊处理，暗示了美国政治和社会对于贫困和种族主义的冷漠和忽视。郊区豪华住宅清晰而色彩饱和的照片不时穿插在这个系列中，冷酷地展现了格雷厄姆眼中的当下美国社会面貌。格雷厄姆以惊人的审美反差手法突出地再现了社会鸿沟，这种手法让我们对摄影的纪实风格和能力感到失望，但同时又成为美国社会分裂的极好的视觉隐喻。这反过来提醒我们，所有的纪实摄影在反映社会现实时一定程度上都是主观的、带有偏见的。

另一个极具影响力的英国摄影师马丁 · 帕尔（Martin Parr，1952— ）

也不断在检验着纪实风格的界限。帕尔在纪实摄影项目中采用了各种视觉形式，自 1990 年代中叶起，他开始使用带闪光灯的便携照相机，配上可以贴近拍摄对象聚焦的微距镜头，对拍摄对象进行特写。帕尔的作品集《常识》(*Common Sense*)［174—177］呈现了率真而生动的日常之物和日常观察，他也因此名声大噪。整个系列的主题是垃圾食品、俗气的纪念品和旅行套餐等世俗时尚元素。虽然这个摄影项目是面向全球推广的（帕尔周游世界寻找画面），但他选择的拍摄对象极有英国风味。照片里茶室的方格桌布或老人的鸭舌帽，在英国人可以前往的无论哪国的度假胜地都可以找到，帕尔借此提醒我们，某些文化

图 174（左上） 马丁·帕尔，《匈牙利布达佩斯》，1998。

图 175（右上） 马丁·帕尔，《英国滨海韦斯顿》，1998。

图 176（左下） 马丁·帕尔，《英国布里斯托尔》，1998。

图 177（右下） 马丁·帕尔，《美国加利福尼亚威尼斯海岸》，1998。

特质正在逐渐消失。帕尔的这个拍摄项目具有某种民主色彩，他对每个拍摄对象，无论是一个人的后脑勺、一盘食物还是珍藏的宝贝，都采用同样的视觉处理方式：紧凑裁切、闪光灯打光、时髦快照般的鲜明色彩。帕尔凭借自己的编辑技巧塑造叙事，将照片视作可以分类、并置、编导的视觉记录，处理自己的照片就像处理他收藏的摄影纪念品和明信片一样。《常识》集中体现了摄影的混杂性，通过数百张照片拼凑出这个世界充满活力的、主观的影像。2000 年，该系列若干套激光打印照片被送到了全世界数家画廊，进行全球同步展览。画廊可以自行选择布展方式，大部分画廊决定按网格状把它们贴在展览空间里或者外面的公共场所。

法国艺术家吕克·德拉哈耶（Luc Delahaye，1962— ）至今仍在创作的《历史》系列（*History*）［178］的庄重和宏大恰恰与马丁·帕尔形成了对比。德拉哈耶的这个拍摄项目始于 2001 年，每年平均选择四幅影像纳入系列中来。所有照片都采用了全景形式，印制出来后长度接近 2.5 米，都是有关军事冲突以及阿富汗和伊拉克等交战地区的影像，

图 178　吕克·德拉哈耶，《喀布尔路》，2001。

图 179　齐亚 · 加菲克，《查找身份》，2001。
失踪人口委员会组织了对 12 具尸体的辨认，他们都是在 1992 年塞尔维亚军队占领波斯尼亚的马图西奇村时遇害的。尸体陈列在当地清真寺背后的杂草地上。村子里有人清洗了地毯，先是摊在旁边的地上，之后又把毯子挂在附近的栏杆上晒干。

还有一些照片呈现了战争的结果，例如 2002 年前南斯拉夫总统斯洛博丹 · 米洛舍维奇（Slobodan Milosevic）在海牙国际法庭受审。德拉哈耶拍摄的内容表面看似新闻摄影的典型主题，却采用了艺术摄影那种气势宏大、场面生动的形式。影像令人震撼，部分原因是拍摄对象的沉着冷静，例如在这里展示的照片《喀布尔路》中，画面色彩通透，一群人对着照相机摆姿势，中间躺着一些尸体。震撼还来自照片诱人的美学风格。德拉哈耶利用新闻摄影中为人熟知的主题，编导出一幅历史场景，使这些刚刚发生的事件令人产生强烈共鸣，心理创伤感挥之不去。

齐亚 · 加菲克（Ziyah Gafic，1980— ）于 2001—2002 年间拍摄了战争结束后的波黑，正常生活恢复如初，但种族屠杀的恶果依然随处可见。在这里展示的这张照片［179］中，失踪人员委员会在马图西奇一带组织挖掘被屠杀的穆斯林村民的尸体，尸体躺在一座清真寺后的白色袋子上，等待辨认。这些骷髅与周边的美丽风景和挂在栏杆上晾晒的地毯（以此展现家庭生活的迹象）之间的极其不和谐感令人震撼。

安德烈·罗宾斯（Andrea Robins，1963— ）和马克斯·贝歇（Max Becher，1964— ）也在探寻历史事件在当代社会留下的遗迹。在《殖民地遗存》（*Colonial Remains*，1991）中，他们记录了今天纳米比亚的德式住宅，那里曾是德国在非洲西南部的前殖民地。展览的文本描述了殖民者的血腥镇压，导致本地75%以上的赫雷罗（Herero）土著人口遭到灭绝，这场屠杀的领导者正是阿道夫·希特勒亲信赫尔曼·戈林的父亲。这里展示的作品出自罗宾斯和贝歇的《德国印第安人》（*German Indians*）系列［180］，拍摄于德国德累斯顿附近纪念德国作家卡尔·梅伊（Karl May，1842—1912）的年度纪念活动中。这位作家在19世纪再现了美洲土著生活方式面对西方入侵而衰落的历史，这段历史后被纳粹当局利用，编造出文化腐败导致国力衰弱的无稽之谈。

纪实摄影可以揭示社会现实，反驳普通大众的偏见，正如照片作为视觉“证据”，是完全不同于想象的，这一理念如今成了当代艺术摄影探索的重要出发点。伊朗艺术家史拉娜·沙巴兹（Shirana Shahbazi，1974— ）［181］拍摄的反映德黑兰日常生活的作品，完全不同于我们对异国文化所抱有的期待。沙巴兹将自己的照片制成马赛克一般的装置作品（有些构图很正式，有些则很随意），而伊朗广告牌画师则以她的影像为本创作了巨幅画作。沙巴兹将伊斯兰艺术的老套模式和伊朗的日常生活现实混淆起来。他认为，如此宏大、古老而复杂的文化，不可能通过单一视觉形式呈现出来。艾斯克·曼尼科（Esko Mannikko，1959— ）的作品聚焦于芬兰乡村生活的特色，照片用二手相框来展示，强调了绝大多数男性拍摄对象都过着手工业者的生活［182］。散落在奥卢城外海岸上的农业村落的影像显得既幽默又陌生，刻画了以男性为主的村民在面对恶劣环境时孤立的生存状态。在高成本制作的价值主导之下的艺术

图 180　安德烈 · 罗宾斯和马克斯 · 贝歇，《德国印第安人聚会》，1997—1998。
这一略显怪异和滑稽的系列作品描绘了装扮成美洲土著印第安人的德国人，摄影师同时也在对卡尔 · 梅伊的著作在 20 世纪再度走红进行研究，由此探讨纳粹如何在历史上寻求政治合法性。

圈里，曼尼科的创作手法刻意传达出这样的信息：摄影作品可以做到朴实而不矫饰，与拍摄对象那种朴素的生活方式一脉相通。

1982 年，罗杰 · 拜伦（Roger Ballen，1950— ）［183］开始拍摄南非小城镇的家庭和人物，观察并拍摄了很多既作为个体，也作为封闭型群体的原型的波尔人。从拜伦 1990 年代晚期拍摄的约翰内斯堡和比勒陀利亚郊区照片中，我们可以明显看出，他与这些地方及其人们的关系已经发生变化了。他的照片越发明显是在摆拍人物、动物以及他们居住的室内环境。拜伦说照片中布莱希特式的戏剧感是他和拍摄对象共同编导的结果，其中很多人已经与他合作好几年了。有些人批评拜伦改用更美

图 181　史拉娜·沙巴兹，《沙迪—01—2000》，2000。
沙巴兹重新思考如何再现伊斯兰革命发生 25 年后的伊朗人的生活。当地人口中有百分之五十以上是在革命后出生的，他们必须小心翼翼地遵守神权法，同时也像其他国家一样顺应商业和流行趋势。沙巴兹的作品揭示了这种分裂性和复杂的、不断变迁的社会。

图 182　艾斯克 · 曼尼科，《萨福克斯基》，1994。
曼尼科用二手相框来展示芬兰乡村生活的照片，以强调被摄者独特的生活方式。

学化和去政治化的风格去视觉再现后种族隔离的南非并不合适。有人进一步批评拜伦的黑白照片虽然沿袭了人道主义纪实摄影的传统，却没有任何明显的叙事内容来刻画社会或政治变化。拜伦的作品更像单色的绘画或素描，而不像用摄影展现的社会史。他显然被他拍摄的那些地区的造型形式所吸引，而无意通过拍摄对象来表达自己的价值观和信仰。

乌克兰艺术家鲍里斯 · 米哈伊洛夫（Boris Mikhailov，1938— ）的

图 183　罗杰·拜伦，《打电话的尤金》，2000。

摄影作品也催生出了类似的论点和旨趣。从 1960 年代以来，他以各种身份从事摄影，时而是工程摄影师，时而是摄影记者，如今又是当代艺术中的一位重要人物。从某种程度上讲，这些身份变化反映了在共产及后共产时代的乌克兰，摄影师可以有多种被认可的身份。米哈伊洛夫在 1990 年代末开始了《病例》（*Case History*）这个拍摄项目，该项目由 500 多幅作品组成［184］。他记录了家乡哈尔科夫的无家可归者，付钱

图 184　鲍里斯·米哈伊洛夫，《无题》，1997—1998。

请他们在他相机前摆姿势。他们根据自己的个人经历或基督教圣像来编导场景，或请他们赤身裸体，来表现贫穷和暴力在他们身上留下的疤痕。与拜伦的作品一样，米哈伊洛夫的摄影作品也是与拍摄对象合作的成果，他对心中的反英雄式的人物直白而充满感情的刻画，一方面表现了他在感情上与拍摄对象的亲近，另一方面也透露了摄影师面对残酷现实时的批判性和超然感。但是米哈伊洛夫充满张力的作品，既可以被视为偷窥式的奇观，也可被认为是摄影师对拍摄对象的情感认同。米哈伊洛夫付钱给拍摄对象，让他们对着相机摆姿势和表演，无非是一个镜像，折射出前苏联时代的现实。此外，米哈伊洛夫的这个刻意之举提醒我们：摄影师是带着个人动机和主观意识介入生活和社会的。

图 185　维克 · 穆尼斯，《行动摄影（1）》，1997。（参见 222 页）
维克 · 穆尼斯用巧克力糖浆描摹了汉斯 · 纳马斯拍摄的抽象表现主义画家杰克逊 · 波洛克的照片，然后把这幅描摹画拍摄下来。这种对著名艺术家贴切生动的再现，促使观众进行一系列脑筋接力：我们看出这是一张画作的照片，画作描绘的是另一张照片，而那张原始照片展现了艺术家的创意行为被糖浆般神秘化的过程。

第七章　重生与再造

至少从 1970 年代中期开始，摄影理论就一直关注这样的观念：摄影可以成为意指或文化编码的过程。后现代主义的摄影理论提供了不同于现代主义的另类分析。现代主义被认为具有自身独立而内在的逻辑，它主要从作者身份、美学、技术发展以及摄影创新等方面来认识摄影。现代主义批评的结果，就是开创了一部摄影大师的正典，一部摄影潜能开拓者的历史，他们是区别于“多数”庸常的影像创作者的“少数”。在现代主义的摄影正典中，这些少数人代表了艺术形式和思想内涵的卓越，他们的作品远远胜过大多数功能性的、职业化的、民间的、虽然流行但毫不出名的影像。相比之下，后现代主义则从不同立场看待摄影，它无意为摄影家建构一座万神殿，一如为画家和雕塑家建造的那种。反之，它从创作、传播和接受的角度来考察摄影，探索摄影固有的可复制性、模仿性和虚假性。摄影作品不再是摄影家原创与否的证据，也不是作者意图的阐述，而是一种符号，这种符号从社会和文化编码这一更大的体系获取意义或价值。在结构主义语言学及其哲学上的分支——结构主义和后结构主义，特别是罗兰·巴特（Roland Barthe，1915—1980）和米歇尔·福柯(Michel Foucault，1926—1984)这些法国思想家的阐述——

图 186　辛迪·舍曼，《无题 #400》，2000。
近年来，舍曼创作了一些绝佳的女性人物肖像：美国东海岸和西海岸的女性，保养很好，生活富有，摆出的姿势好像是在专业摄影师的摄影棚里拍摄的肖像。

的深刻影响下，后现代主义摄影理论主张任何一个影像的意义并不是作者赋予的，也不一定受作者控制，而是只取决于该影像对其他影像或符号的指涉（reference）。

本章将考察脱胎于后现代主义摄影理论的当代艺术摄影。很明显的一点是，本章展示的这些照片所提供的观看体验，将有赖于人们记忆中的影像：家庭快照、杂志广告、电影剧照、监视影像和科学研究、老照片、纯艺术摄影、绘画等。这些照片的某些方面我们会感到非常熟悉，但这些照片的意义的关键，既来自特定影像，也来自我们对这类影像的文化性理解。这些照片邀请我们注意观看之物、观看方式以及影像如何触发并塑造我们的情感和对这个世界的理解。后现代主义摄影理论向摄影家和观者都发出邀请，请他们看清摄影所传达的文化编码。

美国艺术家辛迪·舍曼（Cindy Sherman，1954— ）的作品，敏锐地调用了电影剧照、时尚摄影、色情摄影和绘画中标志性的仪态，很多方面堪称后现代主义摄影的最好范例。1970 年代末以来，在有关影像类型挪用、混用的摄影批评中，讨论最多的就是辛迪·舍曼的作品。在 1990 年代，《无题电影剧照》（*Untitled Film Stills*）系列［186，187］被誉为开山之作（就现代主义原创性而言，这颇具讽刺意味），舍曼也被誉为自觉的后现代主义艺术创作的先驱。她在 69 幅中等尺寸的照片中呈现了不同场景中的女性人物，让人们想起 20 世纪五六十年代黑白电影中神秘莫测却充满叙事性的瞬间。整个系列最让人吃惊的一面，是观众可以轻松辨认出来每一位女性所代表的“类型”。即便我们只知道照片

图 187　辛迪·舍曼，《无题 #48》，1979。
舍曼的《无题电影剧照》系列始于 1970 年代末，艺术家在里面扮演了电影中各种类型的女性形象，借此证明所谓女性特质其实是大众建构起来的概念，而不是女性天然特有的品质。

图 188　森村泰昌，《模仿女演员费雯·丽的自拍像之四》，1996。

扮演的电影情节的些微线索，但由于熟悉这类电影的编码方式，我们便可以轻而易举地解读影像所隐含的叙事。《无题电影剧照》因此证明了女性主义理论的主张，即“女性特质”(femininity) 其实是一种文化符号的建构，而不是女人天生固有的天性或其必不可少的品质。照片中的摄影师和模特都是舍曼本人，这就使得这个系列成为后现代摄影创作实践的完美缩影：她既是观察者，又是被观察者。而因为她是唯一出现的模特，这个系列也表明“女性”实际上是可以由一位演员装扮、表演、改变并模仿的。舍曼既是拍摄对象，又是创作者，两种角色合而为一，这种呈现“女性特质”的方式挑战了一些女性影像的议题，例如：照片所表现的是谁？影像中折射的“女性特质”由谁建构？又是为了谁而建构的？

舍曼利用视觉的愉悦来考察影像和身份这一主题，例如观者会在《无题电影剧照》系列逐步形成的叙事中体验到满足和享受。在另一个大尺寸、色彩丰富的无题作品系列中，舍曼涂着舞台浓妆，一袭盛装，摆着姿势，配以不合尺寸的假脸和义肢，这个历史肖像系列是她在商业上最为成功的作品之一。这些令人惊叹的艺术品以独特的品格，加上对肖像画家接受赞助的传统的暗讽，在画廊展墙上大放光彩：宏伟的美学气象和后现代的批判性思考令人难以忘怀。

与舍曼的创作实践相近的著名艺术家之一，是日本摄影师森村泰昌（Yasumasa Morimura，1951— ），从1985年开始，他在题为《作为艺术史的自拍像》（*Self-Portrait as Art History*）的系列作品中自我装扮和表演，持续至今。在整个系列的第一件作品中，艺术家装扮成了文森特·梵高，梵高是当时在日本最有名的欧洲画家。“名望”是这些作品最突出的主题，森村泰昌致力于把自己具有可塑性的身份同那些著名艺术家、女演员以及艺术中最具魅力的原型匹配起来［188］。某种程度上，森村泰昌以非西方的男性的身份创作出了与舍曼作品相对的作品，但是对他的作品的理解，依然有赖于我们对西方流行影像中的美感和魅力的认识。他的作品反复把我们的注意力引向他的双重角色：既是摄影师幽默的自我，又是某位受崇拜的艺术家或演员。

观察、表演和摄影的融合，在妮基·李（Nikki S. Lee，1970— ）的作品中也可以看到。妮基把自己的作品称作“项目”，这体现了她为了让自己融入各种社会群体中（大部分在美国），在研究和准备上下了多大的功夫。妮基的作品包括了《西班牙人》《脱衣舞女》《朋克》《雅皮士》和《华尔街经纪人》等项目。她首先深入研究这些群体的社会传统、装束和肢体语言，然后改变自己的容貌，成为其中以假乱真的一员。拍摄者既有陪她一同进行这一项目的朋友，也有她渗透进去的群体中的成员。这里展示的照片出自《西班牙人》项目（*The Hispanic Project*）［189］，照片中的妮基（右边手叉腰者）改变了自己的体重以及发型、眼睛和肤色。

特雷茜·莫里希（Trish Morrissey，1967— ）的《七年》（*Seven Years*）［190］则结合了莫里希通过个人照片回忆起的家庭体验，以及家庭摄影中常见的视觉语言。家庭快照可以触发记忆，让观者重新评价个

图 189 妮基·李，《西班牙人计划（2）》，1998。

图 190 特雷茜·莫里希，《1972 年 7 月 22 日》，2003。

人身份以及家庭关系。在和姐姐合作时(她也是系列中的另一位表演者)，莫里希尝试让《七年》的主题成为家庭照片中体现的种种关系的潜台词。道具和服装既有莫里希在父母的阁楼上找到的物品，也有为每张照片的布景而收集来的二手物品。

吉莉安·韦尔林的《相册》（*Album*）系列［191］也是从家族史入手。她在这一令人感到不安的系列里扮演成父母、兄弟、叔伯和她自己。

图 191 吉莉安·韦尔林，《模仿父亲布莱恩·韦尔林的自拍像》，2003。
在韦尔林的《相册》系列中，艺术家重新摆拍了家庭相册里的照片。她带着假面具，让眼睛四周的面具边缘有意露出来。她借此挪用了亲友的身份和他们经历中的某个瞬间，敏锐地传达出一种诡异之感。

可以看到韦尔林扮成少女在照相亭拍的半身像、扮成兄弟在卧室里的随意抓拍照，扮成母亲（生下韦尔林之前）在照相馆拍的肖像照。在这里展示的这张照片［191］中，她挪用了父亲以前的身份：一个短小精悍、衣冠楚楚的年轻人。韦尔林一直带着假面具，这些面具是为家庭照片中家人的面部特征和表情而定做的。在所有这些影像中，韦尔林在对肖像进行天衣无缝的模仿时，都留下了一个明显的破绽：面具上眼窝部分的边缘没有掩饰起来。于是观众可以微妙但确切地感知到，韦尔林是在如实地挪用他人的身份。

重新诠释经典流行影像的做法在当代艺术摄影中也很常见。在《模仿赫尔穆特·纽顿的〈她们来了〉》(*After Helmut Newton's 'Here They Come'*)［192，193］中，艺术家贾米玛·史塔莉（Jemima Stehli，1961— ）装扮成时尚摄影师纽顿（Helmut Newton，1920—2004）1981 年那幅双联作品中的人物，在那幅作品中，四位模特正走向照相机。在一幅作品中，史塔莉穿着衣服，而在另一幅中，除了高跟鞋以外，她赤身露体。史塔莉不仅仿效了纽顿原作中模特之一的位置，也模仿了纽顿的黑白摄影风格特征，而她的作者身份通过左手按着的快门线就一目了然了。就像辛迪·舍曼的《无题电影剧照》，史塔莉批判了(某种程度上也是在改造)纽顿的经典影像，其策略的关键是让自己同时成为作品中的主体和客体。这幅作品形成了独特的客观化特征和视觉上的刻板形式，也标志着摄影的转变：从纽顿时代的杂志版面，到史塔莉时代的画廊展墙。

汉斯·纳马斯（Hans Namuth，1917—1990）1950 年的一幅经典作品，拍摄了美国抽象表现主义画家杰克逊·波洛克（Jackson Pollock，1912—1956）在创作行动绘画。在巴西艺术家维克·穆尼斯（Vik Muniz，1961— ）《行动摄影（1）》（*Action Photo 1*）中，我们一眼就可以辨认出来那幅经典照片［185］，穆尼斯的作品就像一幅模糊的、印刷粗糙的复制品一样。穆尼斯用巧克力糖浆重画了纳马斯那幅照片的画面，然后他把这幅诙谐的、有些湿淋淋的肖像拍了下来。穆尼斯的另外一些作品也使用类似技巧，他技艺精湛，把巧克力、线绳、尘土、电线、食糖、泥土甚至意大利肉酱面这些基本的材料（用肉酱面重现了卡拉瓦乔的肖像）转化为了视觉幻象。

图 192（左） 贾米玛·史塔莉，《模仿赫尔穆特·纽顿的〈她们来了〉》，1999。
图 193（右） 贾米玛·史塔莉，《模仿赫尔穆特·纽顿的〈她们来了〉》，1999。

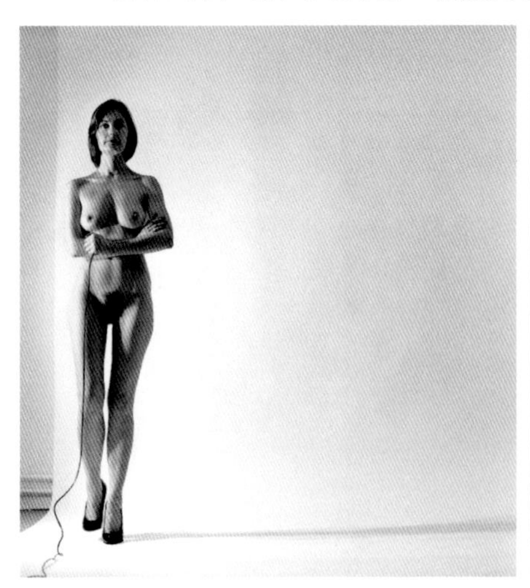

图 194（上图） 佐伊·莱奥纳德和谢丽尔·邓伊，《法伊·理查德斯照片档案》，1993—1996。

图 195（左下） 佐伊·莱奥纳德和谢丽尔·邓伊，《法伊·理查德斯照片档案》，1993—1996。

图 196（右下） 佐伊·莱奥纳德和谢丽尔·邓伊，《法伊·理查德斯照片档案》，1993—1996。

对视觉风格和刻板印象的艺术挪用，也被佐伊·莱奥纳德（Zoe Leonard，1961— ）和谢丽尔·邓伊（Cheryl Dunye，1966— ）在《法伊·理查德斯照片档案》（*The Fae Richards Photo Archive*）［194—196］中加以利用。莱奥纳德和邓伊为一位名叫理查德斯的虚构人物建构了一份照片档案，她被设定为20世纪初到中叶的一位黑人电影和卡巴莱歌舞表演明星。这些照片是为邓伊的影片《寻找西瓜女》（*Watermelon Woman*）创作的，悉心伪造了签名宣传照、剧照和私人照片，并添上了残破陈年旧照上的折痕和污损。之后，这些物件被放在带玻璃罩的盒子里展示，像具有历史意义的小物件一样。他们虚构出来的理查德斯自传融合了20世纪黑人艺术家们真实生活中的事件，但通过虚构把她塑造成一位成功、有创造力、富有而且幸福的女同性恋者，晚年安详去世，这一切都刻意同那个时代黑人歌手和表演者们众所周知的悲惨生活形成了对比。档案照片对观众而言足以乱真，无法确定这究竟是模仿还是真实的。

美国摄影师科利尔·肖尔（Collier Schorr，1963— ）的《海尔格／延斯》

图197 科利尔·肖尔，《延斯F（114，115）》，2002。

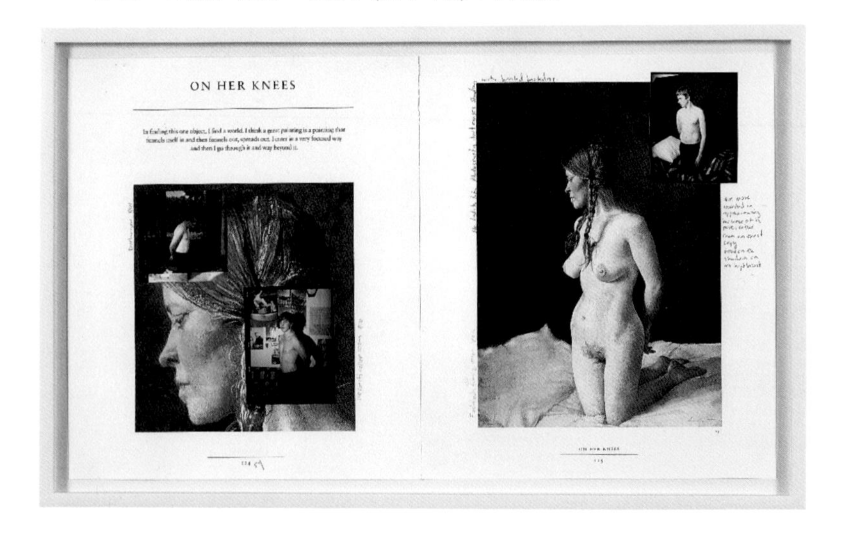

图 198　地图小组 / 瓦利德·拉德，《文明如我辈，不自掘坟墓（CDH:A876）》，1958—2003。在这幅影像旁边展示的，是一段文字说明："文献摘要：法蒂·法胡里博士少数可见的照片，是 1959 年的一系列自拍像，那是他唯一一次前往法国旅行。照片保存在一个棕色小信封里，上面用阿拉伯语写着：'我从来不记得'。"

图 199　胡安·方库贝塔，《水狐猴》，2001。
“人们在考虑各种理论，来解释标本出奇完好的保存状态。从脊椎弯曲的姿势、前肢紧挨的状态，以及侧向的头骨，我们可以推测出这一水生生物是在熟睡的时候被迅速埋葬的，这也就解释了为何其骨骼没有断裂，虽然一些软组织（例如肌肉、韧带等）已经消失。造成其死亡及骨骼掩盖状态的，可能是一次海底滑坡。”

（*Helga/Jens*）项目，拍摄的是一个摆出各种姿势的名叫延斯的德国学童，场景设定在德国风景或室内空间里。这些动作姿势都是取自美国艺术家安德鲁·怀斯（Andrew Wyeth，1917—2009）创作并于 1986 年发表的《黑尔嘉》（*Helga*）系列油画和素描。对《黑尔嘉》系列的争议不绝，因为它清晰地呈现了怀斯对年轻女性的性幻想。肖尔之前的作品往往以再现年轻男子的阳刚之气为核心，为 1990 年代过度泛滥的以年轻女性为主体的摄影作品提供了一种视觉上的缓解。这里展现的是《黑尔嘉 / 延斯》项目的中期阶段［197］，肖尔把摆拍的小幅印样贴在黑尔嘉系列油画旁，利用当代的道具做出回应，批判性地扭转了性别张力和性欲对象。肖尔的创作意图，不仅在于重演另一位艺术家的作品，她也把《黑尔嘉》当作线索，思考怀斯画作中传达的艺术家与模特之间的关系。肖尔的作品关注的是对话，而不是模仿，于是它们成为一种方式，使她能够积极投身于将艺术家的欲望和形象表现二者结合为一。

通过小说化的记述来提出对记忆和历史的对抗，这是黎巴嫩艺术家瓦利德·拉德（Walid Ra’ad，1967— ）创作的《地图计划》（*The Atlas Project*，1999 年至今）的基础。这件作品是用艺术对黎巴嫩内战期间（1975—1991）违背人权、社会结果以及媒体的作用所做的见证。这项综合媒介计划包括了幻灯片、录像片段以及这场战争权威史学家法蒂·法胡里（Fadi Fakhouri，已故）的笔记［198］。拉德用放映、摄影复制品和幻灯讲座来呈现这一计划，所以观众很难看出，这究竟是真实的档案素材，

图 200　亚力桑德拉·米尔，《月亮上的第一个女人》，1999。

图 201　特雷茜 · 莫法特，《鸦片酊》，1998。

还是杜撰而来的（其实就是这样）。作品审视了档案材料的特性如何触发我们对于社会动荡以及历史的片面和情绪化的理解。发挥想象力构建伪造档案的手法，很少用于直接提出严肃的政治问题，而往往用于伪造一个因过于完美而显得不真实、具有戏剧性的照片档案，比如西班牙摄影师胡安 · 方库贝塔（Joan Fontcuberta，1955— ）的作品。他的《植物标本》（*Herbarum*）系列（1982—1985）刻画了超现实的植物形式，在白色背景前优雅如雕塑一般，令人想起 20 世纪初德国摄影师卡尔 · 布劳斯菲尔德（Carl Blossfeldt，1865—1932）的经典风格。从近处观看，照片里的植物实际上是将不同植物和材料不切实际地拼凑在一起，还包括动物的一些部位。在《动物志》（*Fauna*，1988）中，方库贝塔拿探险和人类学摄影的传统开了一个玩笑，建立了虚构的德国科学家和探险家彼得 · 艾默生—豪芬（Peter Amersen-Haufen）的档案，包括这位科学家发现的巨型蝙蝠和飞行的大象。在《塞壬女妖》(*Sirens*) 计划［199］中，方库贝塔记录和分析了刚刚发现的美人鱼化石，以确定这一幻想中的水生物种的年代和生活习性。荷兰艺术家亚力桑德拉·米尔(Aleksandra Mir，1967— ）的《月亮上的第一个女人》(*First Woman on the Moon*)是一个史诗般的鸿篇巨制，她在荷兰海岸边的沙带上建造了虚构的月球风景，以此庆祝人类首次登月三十周年。米尔的计划包括伪造宇航员宣传图片，成员全是女性，外形混合了两种女性传统形象：空姐和向丈夫挥手示意的宇航员之妻，这是1960年代末行为艺术的戏剧版。在本书所附图片［200］中，米尔也取笑了同时代的大地艺术（land

图202 柯妮丽娅·帕克，《希特勒拥有的一张唱片上的凹槽(胡桃夹子组曲)》，1996。

图203 维拉·鲁特，《法兰克福机场，之五：4月19日》，2001。

art)，她建起了巨型沙堡，在上面插上美国国旗，加之倾斜的俯瞰拍摄和一位职业摄影师的认真精神，将这个临时的沙滩场景留给了子孙后代。

截至目前，本章讨论的作品都只涉及 20 世纪的摄影风格和题材。实际上，19 世纪的摄影工艺和格式也被一些当代艺术家所利用。特雷茜·莫法特（Tracey Moffatt）的《鸦片酊》（*Laudanum*）[201] 由 19 幅照相凹版印刷（photogravure）的照片组成（这是 19 世纪中叶发展起来的一种精致的照相制版印刷工艺），营造了鲜活且奇幻的叙事，以旧日时光的样貌呈现出来。莫法特的灵感之一是维多利亚时代流行的情节剧，它们通常以一系列幻灯片或立体照片来呈现，用于社交娱乐。她也参考了 20 世纪早期德国实验电影中对阴影的戏剧化利用。照片中的两个人物分别是一位白人女士和亚裔仆人，莫法特利用她编导的这一幕心理剧，以殖民主义、阶级、性别和药物成瘾的角度来探讨奴隶制这一核心问题。莫法特再现历史境遇的手法，让我们体验到通常靠人类学和写作来探讨的社会历史问题，怎么才能通过艺术而富有想象力地表达出来。

自 1990 年代中期以来，英国艺术家柯妮丽娅·帕克（Cornelia Parker，1956— ）在持续的《被忽略之物》（*Avoided Objects*）系列中，巧妙地运用了传统摄影样式。帕克选择了能够表现历史上最重要的事件和人物的残留痕迹，例如物理学家阿尔伯特·爱因斯坦（Albert Einstein）用铅笔写在黑板上的公式，或者这里展示的阿道夫·希特勒的黑胶唱片收藏。帕克利用显微摄影这种通常用于科学研究的手法，在很近的距离拍摄，所以，对象外貌从视觉上就变得抽象了。这就要求我们通过隐喻和直觉去理解这些历史遗存。就算把爱因斯坦的公式完整拍下来，我们依旧无法理解，但在帕克的镜头里，爱因斯坦的每个符号宛如嵌入黑板的分子结构，往往就是纯粹以碳酸钙构成的粉笔灰。帕克用显微照片的方式拍摄了希特勒拥有的一张唱片的凹槽 [202]，让我们不禁想到了这个物件的历史，包括表面的刮痕是在何时、由何人造成的？我们也会想到希特勒既是唯美主义者、又是独裁者这样一种异乎寻常的双重性。

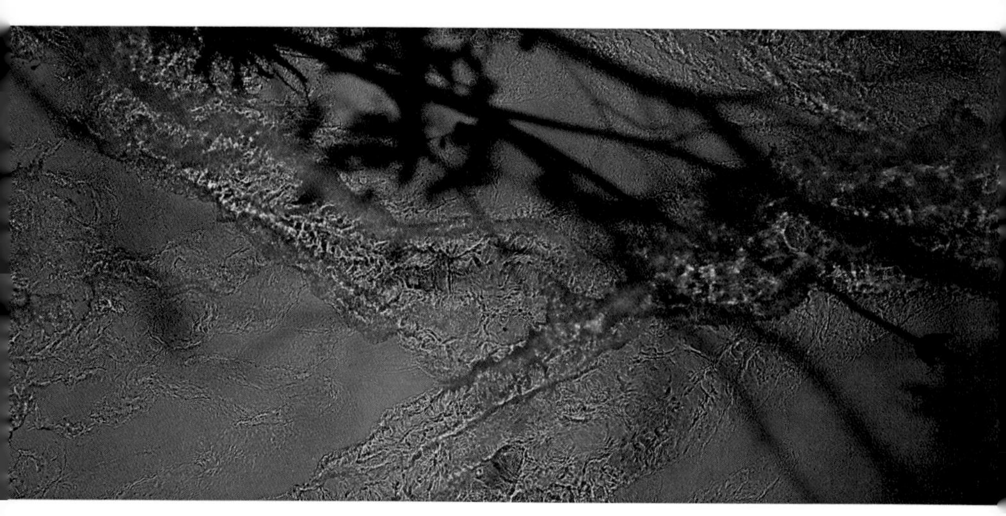

图 204　苏珊 · 德尔格斯，《河，1998 年 11 月 23 日》，1998。
德尔格斯重新利用了摄影最古老的技术，即无相机的摄影"物影成像"——相纸上方的物体的影子，经光线照射后在相纸上留下阴影。德尔格斯在夜晚工作，把相纸放在河水表面之下，再从上方的树枝打光。在高度依赖直觉的德尔格斯手中，流动的波纹和树枝的轮廓就以这种方式被视觉化了。

另一种被当代艺术摄影师们所利用的早期摄影手法，就是文艺复兴时期西方画家采用的暗箱。暗箱由一个类似大盒子的空间组成——像一间屋子或是一个安装起来的盒子——外部光线通过对面墙壁上一个光孔射入，在箱子内壁上投射出一个颠倒过来的影像。德国艺术家维拉 · 鲁特（Vera Lutter，1960— ）自己制作了一个暗箱房间，她把数张相纸挂在房间墙面上，在对面墙上制作了一个针孔光孔，外面景色的光线射进来，在相纸上形成上下颠倒的负相。正如我们在法兰克福机场维修厂的三幅照片［203］中看到的，整个场景中的阴影和其他暗部区域，在这些赫然的大幅作品里呈现为明亮的亮部。因为整个曝光时间持续了数天，影像记录了在暗箱曝光期间起降的数架飞机，造成了模糊、凶险的黑暗感。

19 世纪三四十年代的摄影工艺近年来有所复苏，作为一种充满神奇魔力的早期摄影方式，如今受到摄影家的追捧。

最早的摄影工艺是物影成像（也称为光绘）：把一些小物件摆在经过感光处理的书写纸上，暴露在阳光下，冲洗之后，物件的负相剪影就留在了纸张表面。物影成像仅仅利用了摄影的化学元素，而不借助相机这种光学器材，因此成为一种发自内在、非常直接的方式，而非人类感知的呈现。

英国艺术家苏珊·德尔格斯(Susan Derges,1955—)采用这种工艺，记录了河水和海水的涌动［204］。德尔格斯在夜晚工作，把巨幅相纸装在金属盒子里，摆在河面或海面之下，把盒盖打开，对着盒内相纸打光，水的变化就被捕捉到了相纸表面。在德尔格斯拍摄英格兰西南部陶河的一些作品中，她把光源放在河边的树枝上，使树枝的轮廓投射在水面上。照片的色彩取决于两个关键因素：临近城镇照亮夜空的环境光总量，以及一年当中河水温度的变化。这些作品尺寸和真人等大，当人们在展厅中看到时，有着强烈的身临其境的感觉，仿佛潜入了错综复杂而且难得

图205　亚当·弗斯，选自《我的灵魂》系列，2000。

图 206　约翰·迪佛拉，装置，《椅子》，2002。影像：《假绅士》，1934 / 2002。
迪佛拉对 1930 年代电影场景的照片进行了编辑，这些照片的用途原本是为了在两次拍摄之间检查灯光和道具位置是否一致。这些被建构的室内场景有种内在的戏剧性，有着类似情境摄影的视觉吸引力。

一见的水流之下。那些激励早期摄影师们的实验，在德尔格斯的摄影作品里，以当代艺术的方式重现。她把暗房搬进了夜晚的风景中，将流淌的河水和海水当作一条胶片，提醒我们注意早期摄影史中这种随机应变和全凭直觉的方式，以及它对现代艺术创作的启示。相比之下，亚当·弗斯（Adam Fuss，1961— ）同样出色的物影成像作品主要是在工作室里制作的，他曾拍摄水面涟漪、花卉、兔子内脏、缥缈的烟雾以及鸟儿飞翔，是当代艺术家中复兴达盖尔银版法这一早期专利摄影工艺的少数人之一。银版摄影就像物影成像一样，影像独一无二，没有可用来复制照片的底片。达盖尔法是把摄影影像用感光化学品蚀刻在镀银铜版上的工艺，银版上光照最强烈的区域变成了霜白色。就像 19 世纪早期摄影前辈的作品一样，弗斯的达盖尔银版照片尺寸很小而且模糊，观看者需移动身体和眼睛，才能看到鬼魅般的影像，这是达盖尔银版照片与生俱来的如同窥破天机一般的特质。弗斯用这种工艺来描绘略显哀婉的拍摄对象，例如带花边的受洗礼服、蝴蝶、天鹅，或者是此处展示的模糊的自拍像［205］。

当代艺术摄影挪用和改造影像的方式，也包括对现存照片的整理汇编。这种手法针对的主体多是作者不详的民间照片，通过将之拼贴成网格、图表，或与其他照片并置来达到。在某种程度上，艺术家的角色更像是图片编辑或策展人，通过阐释（而不是创作影像）来塑造这些照片的意义。美国艺术家约翰·迪佛拉（John Divola，1949— ）收集了 1930 年代初电影拍摄现场为了连戏而拍摄的照片，这些照片主要来自好莱坞的华纳兄弟制片厂，原本用来记录拍摄现场道具和灯光，有时候还包括演员的准确位置［206］。在当代语境下，它们无意间成为当今盛行的建构式情

图 207　理查德·普林斯，《无题（女友）》，1993。

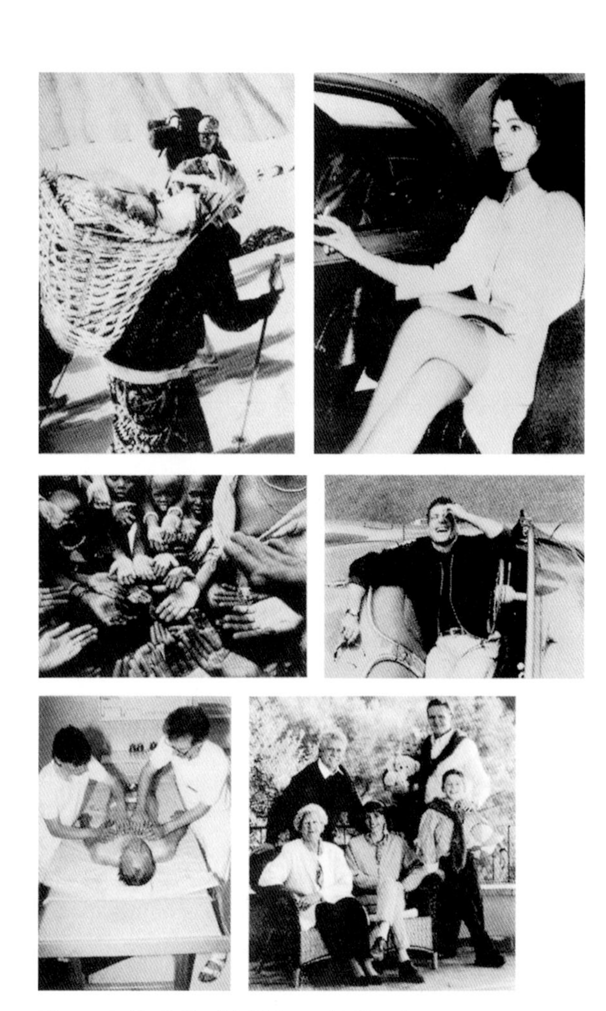

图 208　汉斯-彼得·费尔德曼，《窥淫狂》内页，1997。

境摄影的先驱（参看第二章）。迪佛拉汇编的照片很有针对性，不仅因为照片记录的场景完全是为拍片而人为建构的，更让人们思考电影所营造的关于家庭和正常生活的历史幻象。

美国人理查德·普林斯（Richard Prince，1949— ）在 1970 年代末第一波后现代主义摄影浪潮中涌现出来。他拍摄广告牌，把品牌和文字裁切掉，只展现发达资本主义粗粝且色彩饱和的视觉幻象。普林斯在 1986 年拍摄的万宝路香烟广告中浪漫的美国牛仔，虽然持有批判的态

图209　苏珊·梅塞拉斯，与纳迪尔·纳迪罗夫合作，《家庭叙事》，1996。
“我的家人仍然住在村里。在这个特殊的重新安置区，数十年来，为了生存下去，人们总是在不断斗争。为了让我们的家人都接受教育，祖父一直在艰辛努力。今天我们成了这样的人：(中间)祖母卡雷·纳迪罗夫，即萨迪克、安瓦尔和纳迪尔·纳迪罗夫父亲的母亲；（逆时针方向依次是）拉什迪，哈萨克斯坦北部法尔迪马股东联合会主席；扎卡尔，教师；阿卜杜拉，教师；阿齐姆，什姆肯特石油股份公司副总裁；法洛克，母亲；纳齐姆，什姆肯特地区医院泌尿科主管；扎里法，幼儿园园长；卡齐姆，哈萨克斯坦化工学院博士生导师；阿佐，什姆肯特房屋管理员。”(1960年代老照片，纳迪尔·纳迪罗夫)

度，却也折服于广告的诱惑。在挖掘大众流行影像和故事叙述方面，普林斯的跨媒介创作既诙谐、巧妙，又具有颠覆性。在《无题（女友）》[*Untitled (Girlfriends)*] 系列［207］中，他汇整了骑士文化两大标志物（女孩和机车）的业余照片。这些照片既是对于男性阳刚文化的敏锐观察，也几乎被公认为一种独特的摄影类型。

德国艺术家汉斯-彼得·费尔德曼(Hans-Peter Feldmann，1941— ）的主要作品是各种尺寸的摄影书，从小开本口袋书［例如《窥淫狂》(*Voyeur*)］［208］到大开本巨著，他把他找到的、收藏的以及现成图片库里的无名影像，以充满幽默感的方式并置或反复呈现。这些照片没有文字说明或日期，观看起来就像是脱离了功能和历史、失去上下文的连续影像，其意义取决于通过系列影像之间的关系所触发的思考过程。费尔德曼用一视同仁的手法对待这些20世纪泛滥的民间和大众影像，这种体验有效地提示我们：影像诠释充满了主观和下意识色彩。

美国摄影师苏珊·梅塞拉斯（Susan Meiselas，1948— ）[209] 在1991年发起了一项意义非凡的档案恢复计划。梅塞拉斯以新闻摄影而闻名于世，例如获奖的1978年尼加拉瓜暴乱报道。1990年代初，在第一次波斯湾战争后，梅塞拉斯开始拍摄伊拉克北部的库尔德族万人坑和难

图210 塔西塔·迪恩，《资本的奴隶》，2000。

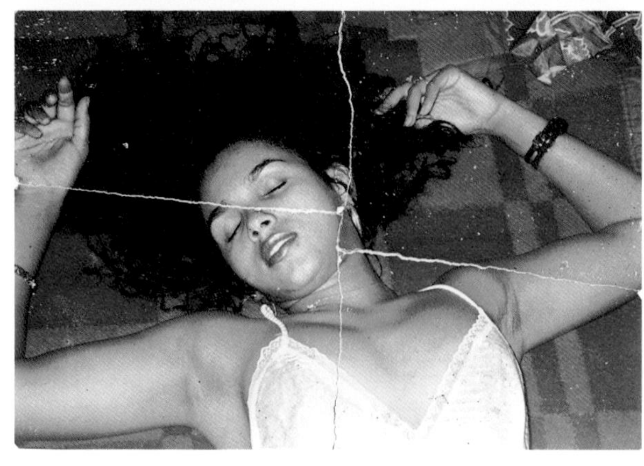

图211 约阿希姆·施密德，《里约热内卢，No.460，1996年12月》。施密德持续进行的《来自街头的照片》计划是由人们在街头遗失或丢弃的照片组成的。在有些照片中，原拥有者意图刻意丢弃或者从感情生活中删除的照片上人物的感觉尤其强烈。

图 212　托马斯 · 鲁夫，《裸体 pf 07》，2001。

民营，他们受到伊拉克领导层的驱逐和迫害。库尔德人的祖国库尔德斯坦在第一次世界大战结束后被瓜分，库尔德身份和文化自此一直受到威胁。梅塞拉斯启动了重寻私人照片、政府记录和媒体报道的计划，这些资料存在于流离世界各地的库尔德侨民当中。梅塞拉斯搜集的这些档案，可以从总体上探讨库尔德斯坦的历史及其同西方的关系。《库尔德斯坦：在历史的阴影下》（*Kurdistan: In the Shadow of History*）内容广泛，包括书籍、展览和网络倡议，这些重新归类的档案材料被当作唤醒记忆的催化剂，不仅是对库尔德人而言，也针对所有曾经接触库尔德斯坦历史和文化的记者、传教士和殖民地行政官员。

英国艺术家塔西塔·迪恩（Tacita Dean，1965— ）的《俄罗斯的结局》（*The Russian Ending*）系列，是从她在跳蚤市场上发现的20世纪初俄罗斯明信片发展而来的。有些明信片描绘了容易解读的事件，例如送葬或战争的余殃，还有些再现了怪异的表演，其意义难以分辨［210］。迪恩把明信片放大，再用凹版形式冲印成色调柔和的明信片。在展示时，每幅影像上面都有迪恩手写的注解。这些说明散布在整个画面中，读起来像是电影导演的指令，说明整个场景的叙事从电影的角度该如何发展。正如作品标题所示，迪恩特别关注这些剧本的各种戏剧化结局。她审视了我们对于画面中历史的理解是多么含混不清、模棱两可，以及导演或影像创作者的牵涉与共谋对历史虚构化的影响又有多么深远。

德国艺术家约阿希姆·施密德（Joachim Schmid，1955— ）抢救出被丢弃的照片、明信片和报纸上的影像，把这些物品组织成档案，用一种貌似策展的方式来改造其意义，为这些在艺术上完全被低估的照片开辟了一种分类方法。他1982年开始的《来自街头的照片》（*Pictures from the Street*）计划［211］，由在不同城市找到的近千幅照片组成。照片一定是被丢弃的，这是照片入选的唯一标准，他把捡到的每张照片都添加进来。有些照片遍布划痕和破损，有些则被撕破或是污损了。因为是被丢弃的，这些照片就代表了个人记忆的丧失和主动抛弃。本章中这些不同的档案构建过程，都强调了从影像作为证据时我们从中恢复的东西，也说明了当影像成为物件时，可以重新唤起被忘却的历史，使我们对这些照片投注历史与情感共鸣。

改造或挽救现成照片复活了它们或鲜明或晦暗的主题，但当代艺术摄影另一个领域则质疑在拍摄下来的时候，现实是否被影像凝固下来。这仍然是同1970年代晚期后现代主义摄影中盛行的观念之间的对话，即照片是一个已有影像的影像，而不是对它假设的对象进行毫无中介的描绘。在2000年初的《裸体》（*Nudes*）系列中，托马斯·鲁夫从互联网上下载了色情影像，放大并提高数字像素，由此创作的摄影作品造成

图 213 苏珊·利佩尔，《无题》，1993—1998。

了真实性爱行为的疏远感［212］。利用甜腻的色调，这些作品成为美丽的影像，这说明了理想化对于呈现一个主题来说是多么重要，而且任何对象（在这里是一种相对新颖的影像创作和观看形式）都可成为审美形式的潜在中介。

自摄影诞生以来，所有摄影创作和诠释都免不了同之前的影像进行比较和关联。以个人创作实践为基础，其他摄影师就成了需要跨越的障碍、要符合的标准、要挑战的论述。美国摄影师苏珊·利佩尔（Susan Lipper，1953— ）的《旅途》（*Trip*）系列，由 50 幅美国小镇的黑白照片组成，不仅体现艺术家与不同地点产生共鸣，而且表明了美国纪实摄影传统是如何再现这些场景的。利佩尔在这些当代的地点中找到了与已有影像之间的联系，例如这里引用的作品［213］，从形式上参考了美国摄影师保罗·斯特兰德（Paul Strand，1890—1976）现代主义摄影史上的关键作品《白栅栏》(*The White Fence*，1916)。

马尔凯塔·奥索瓦（Markéta Othová，1968— ）的黑白概念摄影在祖国捷克引起了争议，在那里，与彩色摄影对立的黑白摄影仍然是大多数艺术摄影和纪实摄影的通用模式。奥索瓦的作品《我不记得的事》(*Something I Can't Remember*)［214］尺寸长达150厘米，其拍摄方式却有某种“去作者”的史料风格。事实上，因为影像颗粒很粗，很容易被解读成是翻拍自1930年代的照片。它刻画了捷克电影导演马丁·弗里茨（Martin Fric，1902—1968）一座别墅中的一个房间，这所房子是弗里茨1934年委托建筑设计师拉蒂斯拉夫·扎克（Ladislav Zak，1900—1973）设计的。就在奥索瓦2000年去参观这所房子的几个月前，弗里茨的遗孀去世了，她生前一丝不苟地维持着丈夫在世时的房间原貌。

图214　马尔凯塔·奥索瓦，《我不记得的事》，2000。

图 215　托尔比约恩·勒德兰，《岛屿》，2000。

图 216　凯蒂·格兰南，《乔希，马萨诸塞州麦德福神秘湖》，2004。

图 217　维贝克 · 坦贝格，《莱恩 #1-5》，1999。
乍一看，坦贝格似乎是在朋友莱恩家中拍摄下了这张简单直接的肖像。实际上，坦贝格通过数字技术把自己的面部特征与朋友的面容糅合在一起，为影像赋予了摄影师与被拍摄者之间的亲密关联。

为了与这种时间凝结的感觉相呼应，奥索瓦模仿了房子建造的那个时代的纪实摄影风格来拍摄，强化了这个地点的历史感。

托尔比约恩·勒德兰（Torbjørn Rødland，1970— ）刻画的北欧风景，同时展现了风景艺术的崇高美感和陈词滥调［215］。画面构图模仿了表现一处美丽风景时的一贯传统，包括选择朦胧的日出或日落，以影像形式演绎大自然的经典牧歌，这一传统从风景绘画流传下来，进入专业风光摄影以及我们的假日快照中。勒德兰深感其中的讽刺意味：观众为了体验这些风景中的感伤情怀，就必须回想其他以同样动情的方式来表现的影像。借用现有摄影风格来刻画一个对象，这种手法在凯蒂·格兰南（Katy Grannan，1969— ）的《枫糖厂路》（*Sugar Camp Road*）［216］中有所体现。她在美国当地报纸上登广告招募模特，拍摄对象都是陌生人，他们提前决定了自己想要穿什么、怎么摆姿势。所以，格兰南某种程度上是把拍摄对象自己已经想象好的照片拍下来而已。在这幅影像当中，拍摄对象决定要用一种抒情的方式呈现，朦胧的阳光透过了她单薄的衣物，她摆出了《米洛的维纳斯》这座雕塑以及 1960 年代媚俗商业摄影惯用的姿势。

这里展示的一张照片出自挪威艺术家维贝克·坦贝格（Vibeke Tandberg，1967— ）的《莱恩》（*Line*）系列［217］，暗示了摄影师同拍摄对象的关系复杂难解，也许是亲密的、职业性的、冷漠的，或者是对所有这些态度的模仿。事实上，坦贝格利用数字处理技术，把自己的面貌特征糅入朋友的面容里，她借此阐述了摄影肖像不论看起来多么真诚，其实某种程度上都是摄影师把自己投射到拍摄对象身上罢了。这幅作品的核心在于后现代主义创作实践向当代艺术摄影师们呈现出的各种可能性：创作者能够蓄意塑造自己感兴趣的主题，意识到他们正在进入何种影像传统，透过我们已知的照片来观看当代世界。

图 218　弗洛里安·梅尔–艾兴，《最佳总体视角》，2007。（参见 252 页）
在这幅作品中，梅尔–艾兴挪用了现有的影像，翻拍了一幅照片的印刷品。他提醒人们注意，哪怕是看上去最直接简单的影像，也可能是当代摄影重新语境化和媒介性的成果。

第八章 物理与材质

本章标题来自艺术家塔西塔·迪恩（Tacita Dean，参看第七章）的一篇精彩短文《类比》(*Analogue*)，她在 2006 年为配合其影片《柯达》(*Kodak*) 发表了相应的图录《模拟》(*Analogue*)，并撰写了那篇短文。迪恩这部 44 分钟的影片是在柯达公司位于索恩河畔的工厂拍摄的，影片展现了生产传统模拟胶片的大型机械正在运转的场景，让人莫名其妙的是，穿过机器的并不是透明胶片，而是褐色纸张。在《模拟》中，迪恩引用了一位工厂经理的话：当被问到柯达传统模拟胶片的库存为何将要过期时，他回答说，几乎再没有人在意传统模拟摄影和数字摄影之间的区别了。但是，本章涉及的艺术家们不仅关注这一差异，而且有意把摄影变化着的意义和联想植入他们作品的叙事当中。

从广义上讲，数字摄影，以其传播的便捷与迅速，从根本上改造了摄影产业，以及我们在职业范畴和个人生活中利用摄影的方式。摄影包含什么？把摄影作品视为艺术究竟意味着什么？对于这些问题，当下的理解也发生了转变。影响艺术品创作的语境和条件以前所未有的方式或多或少地得到了揭示。当代艺术摄影已越来越少运用功能完备的既有视觉技术，而更多地关注创作过程中每一步所做的主动选择。这一倾向同摄影的物质性（materiality）和实物性（objecthood）重新受到重视息息相关，这一物质性和实物性可以回溯到19世纪初的摄影源头。

正是在这种氛围中，本章的艺术家们探讨了我们对照片的物质属性的不断增强的意识：照片不再是摄影的预设平台，反而成为越发考究的手艺，脱离了我们对于摄影的日常体验。有些艺术家着眼于我们可以支配的大量视觉信息，以及它们是如何影响我们对影像的解读，如何影响影像之间的关系的。也有些艺术家利用了过去模拟摄影引发的共鸣，这种共鸣在数字摄影无处不在的当下显得弥足珍贵。模拟摄影的丰富历史，尤其是作为一门不甚精确严密的科学，它容许摄影师进行试验，创造物件（虽然是扁平的），同时承担错误的不幸，或撞上未知的好运：这在一定程度上解释了当代艺术摄影师们谨慎对待数字技术的态度。不论艺术市场还是艺术院校，都没有选择从根本上背离传统摄影的制作、印放和销售习惯——它们也许在价格实惠的数字拍摄和印制的品质，与商业上的后期制作的庞大开销之间徘徊不定。模拟摄影的相纸和胶片将完全绝迹的末日预言已不攻自破，除了时尚、广告和新闻摄影这些因经济或其他需求而必须迅速拥抱新技术的产业之外，从1990年代末到21世纪初是传统模拟摄影和数字技术混杂并行的时期。

谢丽·莱文（Sherrie Levine，1947— ）和詹姆斯·韦林（参看第四章）早在1980年代初就特别关注摄影的物质性，这两位先驱式的艺术家各自为当代艺术摄影的当下潮流奠定了根基。莱文挪用了沃克·埃文斯（Walker Evans，1930—1975）、爱德华·韦斯顿（Edward Weston，1886—1958）和艾略特·波特（Eliot Porter，1901—1990）的经典作品，其手法很适合作为本章的讨论起点。莱文从展览图录中翻拍大师们的经典照片，把它们裱框之后挂在当代艺术画廊中展出，这实在是大胆之举。像《模仿沃克·埃文斯》（*After Walker Evans*，1981）［219］这幅作品，并不是试图伪造，也不具有格外讽刺的姿态。相反，莱文直接挪用一个实物，例如本书这张广为人知的、1936年大萧条期间赤贫女人的肖像，她把一幅照片的阐释能力作为其主题，传达摄影师的情感及猎奇心理。莱文对埃文斯作品的处理，从某些方面讲，与其他摄影师的动机没有什么不同，都是在探索自己感兴趣的主题。这与第一章中杜尚赋予现成品经典地位的做法，也没有多大区别。她的摄影作品具有挑衅性，部分是因为埃文斯的作品并不是默默无闻，或是来自民间无名之辈，也不是新艺术思考经常使用的原始影像素材。莱文的摄影项目强调了她（也许还有我们自己）对沃克·埃文斯作品的回应——埃文斯的创作意图和作者身份虽然不能对这种回应起到决定作用，却有着一定的引导作用。莱文本人的作者身份问题是有争议的，原因并不在于她“具有个人特征”的摄影风格被遮蔽了，也不在于埃文斯的作品因莱文的语境重构而从根本上改变了意义，而是因为她身兼多种角色：编辑、策展人、阐释者和艺术史学者。

詹姆斯·韦林在 1980 年代与莱文和其他一些专事挪用的后现代艺

图 219　谢丽·莱文，《模仿沃克·埃文斯》，1981。

术家来往频繁，但从某种程度上讲，其作品的层次总是有别于同时代具有批判精神的摄影思想家们。1980 年代初，他创作了一个系列作品，由 50 多张小幅、简洁的黑白照片组成，拍摄的内容是带折痕的铝箔［220］。这些照片用现代主义的方式展示，装上卡纸，裱在黑色相框里，依序工工整整挂在白色的展墙上，这种颇具挑衅性的姿态让观众一方面意识到享受照片精致形式时的那种老派乐趣，另一方面也意识到作品之中现代主义手法的影响力。作为艺术家，韦林有意以自己的创作实践跨越两个身份：他既是一位摄影师，通过实验和旧式的照片制作工艺来探索这一媒介，又是一位后现代主义者，理解他所挪用的对象以及引用的方式。

有些当代艺术摄影家通过抗拒一种连续的、可识别的技巧或风格来建立个人特点，他们更愿意运用各种不同的摄影手法和视觉语言。美国艺术家克里斯托弗·威廉姆斯（Christopher Williams，1956— ）的摄影作品乍看之下似乎有着毫不相干的主题和风格。不过，其作品之间的力度变化确立了一种清晰又连贯、却可能令人感觉不安的视觉语言。我们

图 220　詹姆斯·韦林，《渐强，B89》，1980。
韦林的《铝箔》系列参考了 20 世纪初经典摄影的历史，用小幅装有卡纸并装框的黑白照片进行呈现。他用弄皱的薄铝箔创作出看似抽象且超凡的摄影作品。

图 221　克里斯托弗·威廉姆斯，《柯达三点反射色板，伊士曼·柯达公司，1968。（玉米）道格拉斯·卡克工作室，加利福尼亚州格伦代尔，2003 年 4 月 17 日》，2003。

并不再欣赏艺术家审美的精湛技艺，也不再探讨照片中的个人叙事，而是努力突破单幅作品中以及影像之间关系的符码。威廉姆斯的作品表面上天衣无缝，但简单的形式中蕴藏着大量研究和多重意义。在一个经常被讨论的例子［221］中，威廉姆斯深深着迷于玉米副产品遍布日常生活几乎各个角落的状态，尤其令人惊讶的是，玉米甚至出现在摄影当中：玉米的某种副产品既出现在抛光相机镜头所使用的打磨膏里，也出现于印放艺术摄影所使用的化学制品中，而威廉姆斯自己也在照片中使用了这些制剂。玉米副产品甚至用来制作威廉姆斯拍摄的人造假玉米——玉米和摄影因此同时成为这幅作品的主题和素材。在这种情况下，威廉姆斯采用了商业静物摄影的风格和制作水准，由此引导观众不必去寻找个人特征或个性化的主题叙事。这种趋势已成为如今当代艺术摄影的一大特色，包括马克·怀斯（Mark Wyse，1970— ）、罗伊·埃斯里奇（参看第四章）以及埃拉德·拉斯里（Elad Lassry，1977— ）在内的艺术家们，启发了 21 世纪初的创作者们摒弃单一的摄影语言，转而采用不同符号、常规和俗套的语汇。

德国艺术家弗洛里安·梅尔-艾兴（Florian Maier-Aichen，1973— ）的《最佳总体视角》(*Best General View*)［218］探讨了摄影的媒介性、传播性和物质性。影像展示了标志性的约塞米蒂半圆顶巨石，从一个完美的视角出发，获得了一幅尺寸巨大而色彩丰富的照片。但这并非单纯一座山的照片，其实，梅尔-艾兴翻拍了别人拍摄的山景的印刷品。在他的作品中，摄影既是中间媒介，也是主题。他的巨幅照片制作精美，也让摄影本身成为令人渴望的对象。

复活既有影像的做法，让艺术家丹尼尔·戈顿（Daniel Gordon，1980— ）［2］的作品充满了想象色彩。戈顿利用从网络资源采集来的摄影影像，建构了精致的场景和三维立体拼贴，然后拍摄下来，照片里二维的纵深感与三维的实际空间感之间的交互作用实在让人着迷。与之相似的是，马特·利普斯（Matt Lipps，1975— ）也一丝不苟、煞费苦心地建造出了类似纸质剧院的结构，进行戏剧性地布光，然后将之拍摄下来。他主要取材自 20 世纪中叶杂志和书籍上的照片，用这些照片创作出了雕塑一般的摄影拼贴，展现了成群的历史人物和虚构人物。

自 21 世纪头十年的中期开始，莎拉·凡·德·贝克（Sara VanDerBeek，1976— ）的每幅作品都像是一个雕塑形体，艺术家利用了主要来自杂志和书籍的内页照片，搭起一个有形框架［222］，以供人拍照之用。这些雕塑造型怪异、颇具特质，显然以精巧手工制作而成。她把现成的照片摆在三维空间里，戏剧性地为整个场景布光，然后拍下这一影像（凡·德·贝克并未展出雕塑，而只展出最终的照片），由此，她营造出摄影的神奇交互作用：既是一种个人影像语言，也是一种外在的物理与

图 222　莎拉 · 凡 · 德 · 贝克，《日蚀之一》，2008 年。
凡 · 德 · 贝克构筑了小型雕塑作品，强调了她所收集的那些照片的物质性，以及它们所构建出的个人关联。

图 223　莱尔·阿什·哈里斯，《放大之四（塞维利亚）》，2006。

材质形式。

莱尔·阿什·哈里斯（Lyle Ashton Harris，1965— ）的《放大之四（塞维利亚）》[*Blow Up IV (Sevilla)*]［223］是一件墙上拼贴作品，贴满了他自己拍摄的和发现的现成照片。画面中央最大幅的图片是法国著名足球运动员齐达内（Zinedine Zidane）在赛前或赛后躺下来接受双腿按摩。这一影像在这幅作品中被多次复制，从形式构成和隐含的种族动机而言，影像类似马奈（Édouard Manet，1832—1883）的名画《奥林匹亚》（*Olympia*，1863），而这幅画的复印件也出现在《放大之四（塞维利亚）》中。由正中间的照片出发，哈里斯制作了一个视觉地图和意识形态关系图。他对所有影像一视同仁，并不觉得自己拍摄的影像（包括接受委派拍摄的新闻报道）比收集来的图像更重要。相反，他对于后现代主义观念（参看第七章）提出了一个有趣的诠释，把高度的批判性同个人叙事融合起来，主张所有摄影在本质上承载的再现意义，超出了摄影师的创作和意图。哈里斯的作品是在向玛莎·罗斯勒（Martha Rosler，

1943—)、卢茨·巴切尔 (Lutz Bacher，1941—) 和西尔维亚·科尔博夫斯基 (Silvia Kolbowski，1953—) 等艺术家们所做的贡献致敬。

很多当代艺术家通过把摄影当作自己多媒介创作实践的一个组成部分，来探索摄影的多面性和无处不在，其中一位重要实践者是德国艺术家伊萨·根泽肯 (Isa Genzken，1948—)。从 1990 年代末以来，根泽肯把自己的照片和现成照片当作雕塑装置里一个极为重要的元素，但她并没有给照片以特权，或是刻意压抑照片在整个艺术计划中的地位[224]。根泽肯也用自己精心手工制作的、那些破碎且去功能化的实物，挑战了大量当代艺术(包括摄影在内)华而不实的生产价值。在装置当中，照片被嵌入或粗糙地粘贴在雕塑表面，作者由此刻意揭露了它们廉价的物质性。

在泛媒介创作实践中，摄影作为创作素材，其应用方式多种多样，可以用来瓦解或巩固装置或艺术作品的整体叙事效果。在美国艺术家米

图 224　伊萨·根泽肯，《无题》，2006。

图 225（上） 米切尔·昆兰，《面包与气球》，2007。

图 226（下） 欧宗翰，《保护，提高，终止》，2006。
在 2006 年台北双年展上，欧宗翰把自己的摄影作品当作装置作品的一部分来展示。结合作品中的其他元素，他强调了摄影在工业方面和现代化进程中的重要意义。

切尔·昆兰（Michael Queenland，1970— ）2005 年前后的创作实践中，摄影和其他艺术素材一道，被当成是改造平凡物件和感官体验的工具［225］。他用石膏和青铜浇铸气球，用陶瓷制作长面包，搭建图腾般的木质结构，用种种粗粝而有机的形式把现代雕塑和展示用的基座结合起来。昆兰对艺术形式语言进行了幽默的颠覆，还加入了自己的摄影作品。与其他媒介相结合，摄影就成了完整宣言中的一个短语，被刻意处理为一个模棱两可的暧昧角色。

埃米琳·德·莫英（Emmeline de Mooij，1978— ）的展览，就以画廊装置的形式，结合了摄影、版画、雕塑和纺织品，让不同媒介的物理特性呈现出一种戏剧性，共同强调了人类创作痕迹的美丽特质以及事物的秩序关系。

台湾出生的艺术家欧宗翰（Arthur Ou，1974— ）为 2006 年台北双年展创作的装置作品［226］，伪造了由现代主义建筑设计师马歇·布劳耶（Marcel Breuer，1902—1981）设计的壁炉，其复制品在无数的郊区普通民房中随处可见。在壁炉的架子上，摆着一件古怪的壁炉架装饰品，由两只成对的亚洲瓷瓶（或花瓶）融合而成。欧宗翰在中国工业之都深圳生产的陶瓷作品，结合毫无用处的壁炉立面，承载了怪异而阴森的张力。在装置的墙壁上，挂着装框的照片，以中性风格刻画了一些被观察的或组装而成的物件。其中一张照片的内容是装着精美瓷器的橱柜，使得东方向西方输出的遗产与欧宗翰颠覆性的陶瓷作品之间形成了鲜明对比。他的装置作品也强调了摄影是 19 世纪中叶引入现代性的工业（或者说工业化）进程的一部分。

利用装置形式来营造摄影影像封闭的、多层次的体验，此类做法在当代艺术实践中极为丰富。艾琳·西列芙（Erin Shirreff，1975— ）、威尔·罗根（Will Rogan，1975— ）、罗娜·麦金泰尔（Lorna Macintyre，1977— ）以及丽莎·奥本海姆（Lisa Oppenheim，1975— ）等艺术家营造的精巧雅致的画廊展厅，在这一方面脱颖而出，成为典范之作。

图 227 威利德 · 贝希蒂，《三幅侧面的图片（品 / 红 / 蓝），2006 年 12 月 23 日，加州洛杉矶，柯达 Supra 相纸》，2007。

物影成像或许是威利德 · 贝希蒂（Walead Beshty，1976— ）最为出名的作品［227］。他在漆黑一片的暗房里把大张相纸折成立体状，然后将相纸曝光。留在相纸上的破损和折痕，以及因不规则曝光而形成的色块，有力地宣告了摄影独一无二的物质性。贝希蒂手法细腻，在展现美不胜收的作品时，也让作品的制作情况一目了然。贝希蒂更具雕塑感的作品也同样如此，例如他曾用双层安全玻璃制作雕塑，按照联邦快递的专利纸盒的大小制成，然后将它从一个展览现场运到另一个现场。在接下来全球的空运旅行中，玻璃雕塑被损坏，甚至丢失了，它们配送过程中所留下的痕迹就成为作品的一部分。

事实上，从2000年以来，很多非常有思想的当代艺术摄影师便把摄影材料和工艺的丰富历史当作作品的明确主题。从1998年开始，佐伊 莱奥纳德（参看第七章）就进行了一项为期十年的摄影计划，称之为《类比》（*Analogue*），记录了一般商品的店面展示以及自制的广告牌[228]。她的作品是在城市和乡镇拍摄的，始于纽约，又扩展到世界各地，映射了一种行将消失的、遍及全人类的国际贸易形式。莱奥纳德使用经典的古董相机——一台禄来福莱克斯（Rolleiflex），而她的计划也有力地无视了本地商业和传统摄影都处于日益变化（和衰落）的趋势之中。这一作品并不完全是两种行将消失的传统的一首挽歌。虽然相比跨国集团化贸易，莱奥纳德追踪现有的贸易航线规模很小，但仍然存在。同样，她的摄影也肯定了那些四处游荡、善于观察的街头摄影师，认为他们所宣示的历史传承，在当下时代仍有存在的意义。莱奥纳德的《类比》计划让人们意识到20世纪的摄影传统，同时也诗意化地提示我们，摄影能够以引发共鸣的、敏锐的方式将我们的生活经验抽象化，并使之具有意义。

李安湄（An-My Lê，1960— ）的《29棵棕榈树》（*29 Palms*，2003—2004）有计划地运用了历史上的摄影技巧和图像惯例，成果相当出色。在这个系列作品中，她的拍摄对象是美国海军陆战队在莫哈韦沙漠中的训练基地，士兵们在那里接受训练，准备去伊拉克和阿富汗作战[229]。李安湄决定用大画幅相机拍摄黑白的幕后“作战演习”，她选择的这种拍摄技巧让人联想到19世纪中叶以来的战地摄影历史。此外，她的作品通过不加掩饰的审美对比，指涉了那种非官方的、如今无处不在的、关于持续冲突的视觉呈现，这些都是士兵和平民用数码相机拍下来的。李安湄所处的场景，并不是为她的照相机搭建的，她通过采用古老而吃力的摄影形式，让它们述说帝国霸权在当下和昔日的施展，以及摄影在这类冲突中发挥的作用。

特雷弗·帕格林（Trevor Paglen）目前在创作的艺术计划也具有同样重要的意义，他提出了用视觉形式表现左右着军事化的隐秘力量的方式。例如 2008 年的《别样的夜空》（*Other Night Sky*）系列，帕格林在内华达用望远镜头创作了长时间曝光的夜空照片，映现了机密的美军军用飞机的活动轨迹。他让观众通过优美的影像来思考秘密军事侦察的意义，这些影像又让人联想到了天文学的探索历史以及 20 世纪业余夜间摄影的精神内涵，其作品借由这种方式刻意引起观众的不安。

美国人安妮·科利尔（Anne Collier，1970— ）用摄影来塑造往往有些诙谐且具有语言学意义的命题。科利尔作品《蓝天，灰天》（*Blue Sky，Grey Sky*，2008）〔230〕的奥妙难以用语言来表述，因为它故意显得像是一次不费吹灰之力的观测。她敏锐果断地剥除了影像，只剩下最精华的视觉语汇，某种程度上讲，是在向 1960 年代和 1970 年代初的观念摄影致敬。这件双联摄影作品就像科利尔的大部分作品一样，可以

图 228　佐伊·莱奥纳德，《电视独轮手推车》，引自《类比》系列，2001/2006。
莱奥纳德的《类比》系列标题开宗明义，作品由她生活或造访的世界各地不同城市的街头照片组成。这个系列捕捉到照相机反映和记录我们周遭一切的经久不衰的可能性，以及至今仍有重要意义的前数字化时代的摄影语言。

图 229　李安湄，《29 棵棕榈树：步兵排撤退》，2003—2004。

用明确的描述方式来解读：就像一组用柯达相纸盒“框取”的影像，记录了多少有些过时的传统摄影的老调。作品标题既是文字描述，也是一种诱惑，邀请观众在影像上添加二元对立的情感价值：彩色天空代表乐观向上，对应的黑白色天空代表忧郁怅惘。

利兹·德舍娜（Liz Deschenes，1966— ）的作品，探讨了视觉认知的概念，以及视觉认知同摄影和电影技术、经验有何交集。《转印》（*Transfer*，1997—2003）系列是一套醒目的纯色相纸，采用即将绝迹的染料转染工艺制作。染料转染法采用的是印刷染料和极为精确的印刷脱模胶片，因为威廉·埃格斯顿使用这种工艺制作了色调丰富饱满的经典作品（参看前言），从而使其在摄影史上具有了传奇地位。德舍娜创作的纯单色的染料转染作品，把人们的注意力吸引到这种工艺本身上面。同样，她的《黑与白》（*Black and White*，2003）系列则呈现了一系列单色调的传统照片，用已停产的胶片来拍摄，并印放成与胶片比例相符的不同

图 230　安妮·科利尔，《8×10（蓝天）》，2008；《8×10（灰天）》，2008。
这件双联摄影作品就像科利尔的大部分作品一样，可以用明确的描述方式来解读：就像一组用柯达相纸盒“框取”的影像，记录了多少有些过时的传统摄影的老调。作品标题既是文字描述，也是一种诱惑，邀请观众在影像上添加二元对立的情感价值：彩色天空代表乐观向上，对应的黑白色天空代表忧郁怅惘。

图 231　利兹·德舍娜，《波纹 #2》，2007。
德舍娜的计划聚焦于摄影的物质性。在《波纹》系列中，她利用简单的传统摄影手段，模仿了数字屏幕的波纹效果。她用针刺透一张铝箔，贴在窗子上，用铝箔背后的阳光来让一张底片曝光，从而创造出摄影负相。在手工制作的过程中，每张相纸经过两次曝光，让光点出现了不可避免的错位。

图 232　艾琳·昆兰，《黄色的戈雅》，2007。

长宽的尺寸。由 7 幅作品组成的《波纹》(*Moiré*，2007) 系列显然在向布里奇特·赖利 (Bridget Riley，1931—) 的光效应绘画致敬，同样也指涉了数字电视屏幕上像素和光栅线交错产生的波纹效果 [231]。重要的是，德舍娜用传统相机来创作《波纹》系列，她用一台 8 英寸 ×10 英寸大画幅相机拍摄一张打孔的纸，拍两张负片，然后让两张负片在放大机上不对齐叠放，营造出一种犹如脉冲的光学错觉。《波纹》用传统工

图 233　杰西卡·伊顿，引自《阿尔博斯和勒维特的立方体》系列，2011。

图 234　卡特·马尔，《联系》，2011 年（细部），装置现场，“白昼具体的梦”，2011 年 5 月 6 日—6 月 11 日。

艺来模仿数字技术，是她对影像制作本质的不断探索的代表作。

艾琳·昆兰（Eileen Quinlan，1972— ）的《烟与镜》（*Smoke & Mirrors*）系列［232］是一个具有高度自觉性的摄影主张。系列中每一幅影像都没有经过任何处理，特意强调了传统摄影工艺本身固有的瑕疵和差错。昆兰思考了摄影之中经久不变的运气和偶然成分。她通过商业静物摄影的诱人品质来“引经据典”——从 20 世纪初的超自然摄影，到强调形式的现代主义和抽象摄影。

在当代艺术摄影领域中，实验摄影实践的重新振兴令人兴奋不已。加拿大艺术家杰西卡·伊顿（Jessica Eaton，1977— ）仍在进行的《阿尔博斯和勒维特的立方体》（*Cubes for Albers and LeWitt*）系列［233］，对一个简单的白色立方体进行多次曝光（校准为原来的颜色）。正如作品标题所指出的，该计划与 20 世纪中叶的极简主义艺术实践交织起来，

图 235 香农 · 艾伯纳，《煽动》，2010。

以一种实验模式，及时向人们提示了摄影固有的视觉语汇能力。瑞士二人合作组合大洋 · 奥诺莱托（Taiyo Onorato，1979— ）和尼可 · 克雷布斯（Nico Krebs，1979— ）通过构建动态对象，发展出了一套基于摄影棚的创作实践，用摄影的方式进行探索。他们的作品借由视觉上的幽默感，对摄影神秘又容易出错的特性做出了评述。

在刻意使用古老的传统摄影技术，以及把传统思维运用于全新的数字拍摄和后期处理方面，实验主义精神也明显正在重新振兴。美国艺术家卡特 · 马尔（Carter Mull，1977— ）的创作实践［234］成为当代艺术摄影师们这一创造性挑战的缩影。他的最新作品包括装框并挂在展墙上的作品和装置，媒介的混搭成为当代艺术的一个主题。马尔的作品把影像创作的历史与当下联系起来，通过强调照片材质之上创作技术所留下的层层覆盖的痕迹（从照片印放和绘画到彩色印放和光化学），他的影像为当下赋予了象征意义。这就要求观众把标志现代生活的日常数码照片，追溯到1960年代的波普艺术、20世纪初前卫艺术创作中的现成物，并最终回到摄影与运算处理早在18世纪的根源所在。于是，马尔的作品促使我们在内心深处认识当下媒介环境的象征意义。

香农·艾伯纳（Shannon Ebner，1971— ）的摄影和雕塑作品着眼于语言，在把摄影当作一种视觉符号语言的同时，也将政治和抗议中的口头语和书面语以及实验文学应用其中［235］。艾伯纳借由黑白摄影和单色调雕塑，以各种角度反复探讨了语言如何体现政治和社会结构这一问题。她的摄影作品有力地隐喻了那些被错误主张或花言巧语打垮或激活的事物。

同样，克鲁尼·雷德（Clunie Read，1971— ）、特里斯·冯娜·米歇尔（Tris Vonna Michell，1982— ）和莎拉·科纳韦（Sarah Conaway，1972— ）的作品也用一种近乎表述性的摄影语言，展现了一位艺术家在

图236　沙伦·亚阿利，《无题》，引自《半径500米》，2006。

遵从摄影工艺天生固有、难以捉摸的本质的前提下，如何从个人的观点出发，在某一知识学科内巧妙地创作影像。

从 2005 年前后以来，那些重新恢复黑白摄影文化价值的当代摄影师掀起了一股创造性的浪潮。目前，彩色摄影在当代艺术、商业影像以及日常生活中大行其道，采用黑白摄影的年轻艺术家在有意识地反驳普遍默认的摄影审美。例如沙伦·亚阿利（Sharon Ya’ari，1966— ）的摄影书《半径 500 米》(*500m Radius*，2006)，是 40 幅普通的黑白照片组成的系列，是以他之前在以色列特拉维夫的工作室为圆心，在 500 米的半径范围之内拍摄的［236］。亚阿利选择破败的包豪斯式现代主义乌托邦理想作为主题（这种理想反映在工作室周围的现代主义建筑中），聚焦于摄影断裂的当下（处于历史过往与未来前景之间），并向过去的摄影观念致敬。当代艺术家对于黑白摄影的发展意义重大，颇具挑战性，抵抗了当代艺术摄影正被商业提供的技术所左右的趋势，也反抗了廉价艺术市场上的潮流。与此同时，它还以理性的多样化的历史来重新改造当

图 237　詹森·埃文斯，《无题》，引自《NYLPT》，2005—2012。

图 238　提姆·巴尔伯，《无题（云）》，2003。

代创作实践，其中既包括了 20 世纪初的前卫摄影、1960 年代的概念艺术，也包括 70 年涌现的“新地形学”的精神（参看前言）。

詹森·埃文斯（Jason Evans，1968— ）的《NYLPT》计划（指纽约、伦敦、巴黎和东京）［237］有两个方面内容。一方面，在双色印刷的摄影书中，80 幅双重曝光的黑白街拍照片按次序排列，风格上参考了 1980 年代摄影书的传统。另一方面，《NYLPT》也可以使用 APP 应用程序在平板电脑或手机上阅读。应用程序采用了专门用于生成在线安全代码的随机算法，以固定的横向模式随机展示这个计划的 600 幅双重曝光影像。埃文斯为每种播放顺序都配上了音乐元素，音乐在应用程序每次启动时生成。他使用了 16 个内置合成器设定了不同的频率和音长范围(在创作这些照片时，埃文斯就在听单一节奏的音乐)。NYLPT 应用程度的体验是深度冥想式的，触发了摄影行为的无限可能。这个计划的核心是摄影持久不衰的品质，特别是被偶然性所支配的街头摄影。它歌颂了生命经验和摄影观察两者兼有的随机性。埃文斯的计划代表了一个令人兴奋的摄影时期：在数字环境下，摄影的本质与符号意涵借由一种富有创造性和想象力的方式演绎出来，新颖而深刻。

我们还看到了一种趋势，背离了强调艺术家要通过一贯的摄影风格来表现身份的传统，而更多着眼于为画廊展览和艺术家的摄影书进行精心的影像编排和编辑。经过摄影师们复杂的编辑处理，例如玛丽·安杰莱蒂（Marie Angeletti，1984— ）和汉娜·惠特克（Hannah Whitaker，1980— ），相较集成和处理的影像累计起来的意义而言，个别摄影影像

图 239　薇薇安·扎森，《含羞草》，引自《艳丽》系列，2007。

的作者身份本身变得无足轻重了。

21 世纪的摄影出版是一个多样化的、极为活跃的摄影创作领域。新的影像捕捉、设计、印刷和发行技术改变了传统商业出版，为艺术家个人出版和发行摄影书增加了可能性。摄影出版越来越多地在全球摄影和艺术博览会上亮相，摄影书（包括不再发行的稀有书籍）逐渐成为收藏市场的兴趣焦点，创作活力由此可见一斑。2005 年，摄影师、出版人和策展人提姆 · 巴尔伯 (Tim Barber，1979—)［238］建立了自己的网站“小恶行”(www.tinyvices.com)。这个网站由众多成名和新晋艺术家的作品集组成，人们不仅可以在此购买摄影书，还能从小规模独立摄影出版商那里获悉书籍咨询。巴尔伯的网站反映了互联网如何深入实践者们的摄影思维，又如何在机构和画廊体系之外充当了当代艺术的重要工具。巴尔伯的网站凸显了一个事实：成为摄影家的必备技艺，例如排序、编辑、策划和处理其他摄影师的作品，以往被掩盖在摄影的外表之下，但其实也可以成为被摄影群体讨论的可见内容。

在这种令人振奋的出版氛围中，很多当代艺术摄影师都在创作摄影书，并以此作为一种主要的创作形式——个人出版，发行量适中。艺术家个人出版的复兴秉承了 1960 年代和 1970 年代摄影实践者们的精神，他们不再为了制作一本固守传统形式的书籍，而苦等与出版商合作的稀有机会。从 1963 年以来，埃德 · 鲁沙（Ed Ruscha，1937— ）出版的艺术家作品集就一直是重要的榜样。夏洛特 · 杜马斯（Charlotte Dumas，1977— ）、库尼 · 詹森（Cuny Janssen，1975— ）和艾纽克 · 克吕托夫（Anouk Kruithof，1981— ）等人都是借由作品集而享誉国际的当代艺术摄影师。

薇薇安 · 扎森（Viviane Sassen，1972— ）［239］的摄影作品炫耀夺目，令人眼花缭乱，跨越了当代艺术、纪实和时尚这几种摄影类型。她个人出版了一些印数较少的摄影集，这让她在当代艺术领域好评如潮，这不仅是因为她为每本出版物注入了新颖的设计观念，还因为其审美风格在印刷品质地的衬托下更加显著。扎森的摄影影像混淆了人们的种种

图 240　川内伦子，《无题》，引自《家人》系列，2004。
在凸显编辑和排序对于构建摄影作品叙事的意义方面，川内伦子的摄影集《家人》是一部典范之作，她为日常生活的创造性和深刻性唱出一曲感情丰沛的颂歌。

预判，包括二维和三维空间、影像的环境判断、有利的拍摄角度以及正相和负相空间。在她与被摄者的合作过程中，有着某些非同寻常的拍摄瞬间，以必要的偶然事件打破了影像的统一性。

川内伦子（Rinko Kawauchi，1972— ）的摄影集《瞌睡的时候》[*Utatane (Nap)*，2001]、《花火》[*Hanabi (Fireworks)*，2001] 和《家人》[*AILA (Family)*，2004]，在不借助文本阐释的情况下，塑造了微妙而略显哀伤的影像叙事。《瞌睡的时候》将川内伦子感知周遭世界的方式，同种种稍纵即逝的形式合并交织在一起。书名（Utatane）是抒情性的，念起来甚至有音乐感，宛如缝纫机的突突声，或是煎蛋的嘶嘶声。而在《家人》[240] 中，断奏式的影像系列包括了动物和人类的出生照、成群的昆虫、鱼卵、露珠、瀑布、彩虹和树冠。川内伦子的精心编辑和日积月累的观察，使她积极寻求的细腻迷人的景象滋养了观众的心灵。当然川内伦子并不孤单，当代艺术摄影领域里有很多人并不倚重过分复杂的摄影拍摄策略，而是始终坚信周遭万物皆可入镜，例如原树美子（Mikiko Hara，1967— ）、安德烈斯·埃德斯特隆（Anders Edström，1966— ）、安妮·戴姆斯（Anne Daems，1966— ）和詹森·富尔福德（Jason Fulford，1973— ）等摄影师。他们同样从偶发事件和日常观察中创造微妙的摄影形式，同时又强化了一个经久不衰的概念，即照相机给予握持相机者一张现实与心灵的许可证，允许他们仔细观察生活中的优美、奇异和幽默。

一些脱颖而出的艺术人才，正在定义作为当代艺术的摄影领域，他们是在触觉化的、社会化的数字摄影里开始创作生涯的。他们的作品探讨了新技术如何注入当代摄影的传统框架之中。这些与生俱来青睐数字化的摄影师进行着跨平台的实验，在他们看来，画廊只是展呈作品的几种语境之一，除此之外还有线上形式，也有传统出版和电子出版。在思考文化“高尚”还是“低俗”的问题上，最新一代的实践者们显然都抱着不可知论的态度，但是对于在不同语境下处理摄影语言时却小心翼翼，因为他们知道，这些语境为观众营造的冲突有多种不同类型。

卢卡斯·布莱洛克（Lucas Blalock，1978— ）[241] 的作品故意把数字摄影和后期制作的视觉设定注入当代艺术摄影正在行进的轨迹中。布莱洛克的作品可以解读成是向摄影一个由来已久的功能致敬，即摄影为其表面上的主题赋予了视觉张力和意义，但同时他的作品以批判的态度玩弄着这个概念。他的影像把 Photoshop 语言带入美国经典艺术摄影故事以及挪用民间摄影风格的历史当中。在数字化的新纪元，布莱洛克有目的地复兴了现代主义摄影传统。

图 241　卢卡斯·布莱洛克，《CW 起居室里的两把椅子》，2012。

图 242　凯特·斯泰丘，《涂抹，应用，自动，自动化，焚烧，癌症，铜器，直径，火，火焰，相框，金属，蓄意破坏，管道，红色，搅浑，旋转，可靠，安全，固体，长条，带子，陷阱，服饰》，2012。

图243　阿蒂·维尔坎特，《影像物件》，2011。维尔坎特的《影像物件》具有一种混杂性，他选择了自己在画廊展览的记录影像，在网络上流传，又在Photoshop中进行重叠处理，从而得到以原始图像为基础进行创作（而非仅仅源于原始图像）的新影像。

在某种程度上，一些当代艺术摄影师的作品几乎都有巴洛克艺术的色彩，例如萨姆·福尔斯(Sam Falls，1984—)和乔舒亚·奇塔雷拉(Joshua Citarella，1987—)，他们在自己的作品中合成了多个图层的图像创作。Photoshop绘画技巧和传统摄影惯例、有形的创作标记与建构相结合，共同宣告了当下的摄影媒介可能会受到怎样的过分处理。

凯特·斯泰丘（Kate Steciw，1979— ）［242］在自己的画廊装置作品中，独树一帜地把摄影和雕塑元素结合起来。斯泰丘集成了来自民

图 244　阿内 · 德 · 弗里斯，《递推的台阶》，2011。

间摄影的视觉元素——一方面，她用 Photoshop 把一般产品的商业照片做成夸张的形式，另一方面，她使用工商业里那些看似批量生产的廉价雕塑元素——她在雕塑和摄影之间做出对比，两者既都是有形的实物，同时又是文化密码。阿蒂·维尔坎特（Artie Vierkant，1986—）的《影像物件》系列［243］，就把数字摄影和平面设计工具的活力和美感，转化成了画廊体验，这种基于画廊展墙的体验充满诱惑，消除了观众的所有敌意。他的手法充满挑衅，好像在把我们基于屏幕的日常生活转化为形式对象，为其中的视觉语言树碑立传。阿内·德·弗里斯（Anne de Vries，1977—）［244］利用摄影、雕塑和新媒体来创作，他将雕塑、装置艺术的现代主义传统，与指涉广告和业余摄影的视觉动机巧妙结合。他的作品把当代视觉文化注入雕塑体验当中，就像对技术体验进行哲学抽象的过程一样。

为本章作结的这些摄影师，亦为本书提供了一个合适的结尾，他们激励我们去探索生命的奇迹，去认识那些仍可用摄影之眼来发现的美丽和神奇。摄影将我们的生命体验抽象化并赋予其形式，通过参考传统摄影和使用数字工具，摄影这一经久不衰的功能不断被人们重新利用，并注入新的生机。在这个时代，我们不仅在接收、获取和传播影像，同时也标记、浏览和编辑影像，我们都比以往任何时候都更加关注视觉、更加精通摄影语言。我们也更加理解对于连结和框取日常生活瞬间而言，摄影绝不是一项中立且透明的工具。本书中这些当代艺术摄影师回顾了昔日摄影的物质和材质，并持续拓展当代艺术的摄影语汇。在摄影日益数字化的环境中，这些摄影家向我们展现了内容切实、方向清晰的创作和思考方式，以及摄影创作不断变化的价值和意义。

延伸阅读

摄影作为当代艺术的基本阅读：

Batchen，Geoffrey，*Each Wild Idea: Writing，Photography，History* (Cambridge，MA，2001)

Bourdieu，Pierre，*Photography: A Middle-Brow Art* (Cambridge，1990)

Campany，David，*Art and Photography* (London，2003)

Crow，Thomas，*Modern Art in Common Culture* (New Haven and London，1996)

Salvesen，Britt，*New Topographics* (Göttingen，2009)

Tagg，John，*The Burden of Representation: Essays on Photographies and Histories* (Basingstoke，1988)

Wells，Liz，*Photography: A Critical Introduction* (London，1997)

摄影师专辑：

Araki，Nobuyoshi，*Araki By Araki* (Tokyo，2003)

—，*Self Life Death* (London，2011)

Bacher，Lutz，*Do You Love Me* (New York，2011)

Ballen，Roger，*Shadow Chamber* (London，2006)

—，*Boarding House* (London，2009)

Baltz，Lewis，*The New Industrial Parks Near Irvine，California* (Göttingen and Los Angeles，2001)

—，*The Tract Houses* (Göttingen and Los Angeles，2005)

—，*Nevada 1977* (Göttingen，2009)

—，*Texts* (Göttingen，2011)

Barney，Tina，*Friends and Relations: Photographs* (Washington DC，1991)

Barth，Uta，*Uta Barth – To Draw with Light* (New York，2012)

Basilico，Gabriele，*Cityscapes* (Milan，2008)

Beban，Breda，*Still* (Sheffield，2000)

Becher，Bernd and Hilla，*Bernd and Hilla Becher: Life and Work* (Cambridge，MA，2006)

Billingham，Richard，*Ray's a Laugh* (Zurich，1996)

Broomberg，Adam and Oliver Chanarin，*Ghetto* (Göttingen，2004)

—，*Fig.* (Brighton，2008)

—，*People in Trouble Laughing Pushed to the Ground* (London，2011)

Brotherus，Elina，*Elina Brotherus: The New Painting* (London，2005)

Burtynsky，Edward，*Manufactured Landscapes: The Photographs of Edward Burtynsky* (New Haven，2009)

Bustamante，Jean-Marc，*Something is Missing* (Salamanca，1999)

—，*Jean-Marc Bustamante* (Paris，2003)

Calle，Sophie，*M'as tu vue – Did you see me?* (New York，2003)

Carucci，Elinor，*Closer* (San Francisco，2002)

Casebere，James，*James Casebere: The Spatial Uncanny* (Milan，2001)

Clark，Larry，*Tulsa* (New York，2000)

Collins，Hannah，*Hannah Collins: In the Course of Time* (San Sebastian，1996)

Crewdson，Gregory，*Twilight* (New York，2002)

—，*Gregory Crewdson: 1985–2005* (Ostfildern，2005)

Daems，Anne，*72 Girls and Some Boys Who Could Be Models* (New York，2007)

Davey，Moyra，*Long Life Cool White* (Cambridge，MA，2008)

Day，Corinne，*Diary* (London，2000)

Dean，Tacita，*FLOH* (Göttingen，2002)

—，*Analogue* (Göttingen，2006)

Delahaye，Luc，*History* (New York，2003)

Delvoye，Wim，*Skatalog* (Düsseldorf，2001)

Demand，Thomas，*Thomas Demand* (London，2000)

—，*Thomas Demand* (New York 2005)

Derges，Susan，*Susan Derges: Elemental* (Göttingen，2010)

diCorcia，Philip-Lorca，*Streetwork 1993–1997* (Salamanca，1998)

—，*Heads* (Göttingen，2001)

—, *A Story Book Life* (Santa Fe, 2003)
—, *Thousand* (Göttingen, 2007)
Dijkstra, Rineke, *A Retrospective* (New York, 2012)
Divola, John, *Three Acts* (New York, 2006)
Doherty, Willie, *False Memory* (London, 2002)
Dolron, Desiree, *Desiree Dolron* (The Hague, 2005)
Dunning, Jeanne, *Bodies of Work* (Chicago, 1991)
Edström, Anders, *waiting some birds a bus a woman and spidernets places a crew* (Göttingen, 2004)
Eggleston, William, *William Eggleston's Guide* (facsimile edition), (New York, 2002)
—, *Los Alamos* (Zurich, 2003)
Epstein, Mitch, *Mitch Epstein: Work* (Göttingen, 2006)
—, *Mitch Epstein: American Power* (Göttingen, 2009)
Erdt, Ruth, *The Gang* (Baden, 2000)
Ethridge, Roe, *Rockaway, NY* (Göttingen, 2007)
—, *Le Luxe* (London, 2011)
Evans, Jason, *NYPLT* (London, 2012)
Feldmann, Hans-Peter, *272 Pages* (Barcelona, 2002)
—, *Zeitungsphotos* (Cologne, 2007)
Fischli, Peter and David Weiss, *Fischli and Weiss* (London, 2005)
—, *Equilibres* (Cologne, 2007)
Fontcuberta, Joan, *Contranatura* (Alicante, 2001)
—, *Joan Fontcuberta* (Paris, 2008)
Fox, Anna, *Anna Fox* (Göttingen, 2008)
Fraser, Peter, *Peter Fraser* (Portland, OR, 2006)
Fulford, Jason, *Crushed*, (New York, 2007)
—, *Raising Frogs for $$$* (Los Angeles, 2006)
—, *The Mushroom Collection* (Minneapolis, 2012)
Fuss, Adam, *Adam Fuss* (Santa Fe, 1997)
—, *Less of a Test than Earth* (Winterthur, 1999)
Genzken, Isa, *I Love New York, Crazy City* (Zurich, 2006)
—, *Isa Genzken* (London, 2006)
Gersht, Ori, *Ori Gersht: History Repeating* (Boston, 2012)
Goldin, Nan, *The Devil's Playground* (London, 2003)
—, *The Ballad of Sexual Dependency* (New York, 2012)
Gonzalez-Torres, Felix, *Felix Gonzales-Torres* (Göttingen, 2007)
Graham, Paul, *American Night* (Göttingen, 2003)
—, *A Shimmer of Possibility* (London, 2009)
—, *The Present* (London, 2012)
Grannan, Katy, *Be Zany Poised Harpists/Be Blue Little Sparrows* (New York, 2002)
—, *Westerns: Katy Grannan* (San Francisco, 2007)
Gray, Colin, *The Parents* (Edinburgh, 1995)
Gursky, Andreas, *Andreas Gursky: Photographs from 1984 to the Present* (Munich, 1998)
—, *Andreas Gursky* (New York, 2001)
Haifeng, Ni, *Ni Haifeng: No-Man's-Land* (New York, 2004)
Hanzlová, Jitka, *Female* (Munich, 2000)
—, *Jitka Hanzlová* (Madrid, 2012)
Harris, Lyle Ashton, *Lyle Ashton Harris: Blow Up* (New York, 2008)
Harrison, *Rachel*, *Rachel Harrison: Current 30* (Milwaukee, 2003)
Hassink, Jacqueline, *The Power Book* (London, 2007)
—, *The Table of Power 2* (Ostfildern, 2012)
Hatakeyama, Naoya, *Naoya Hatakeyama* (Ostfildern, 2002)
—, *Atmos* (Portland, OR, 2004)
Hernandez, Anthony, *Rodeo Drive 1984* (London, 2012)
Hoch, Matthias, *Matthias Hoch: Photographs* (Ostfildern, 2005)
Höfer, Candida, *Candida Höfer* (New York, 2004)
Homma, Takashi, *Stars and Stripes* (Tokyo, 2000)
—, *Tokyo Suburbia* (Tokyo, 2000)
—, *Tokyo* (New York, 2008)
Horn, Roni, *Another Water: The River Thames, for Example* (London, 2000)
—, *Roni Horn* (London, 2000)
Huan, Zhang, *Zhang Huan* (Ostfildern, 2003)
Hubbard, Teresa and Alexander Birchler, *Wild Walls* (Belefeld, 2001)
Hunter, Tom, *Tom Hunter* (Ostfildern, 2003)
Hütte, *Axel*, *After Midnight* (Munich, 2007)
Jasansky, Lukas and Martin Polak, *Pragensie 1985–1990* (Prague, 1998)
Jones, Sarah, *Sarah Jones* (Salamanca, 1999)
Kaoru, Izima, *Izima Kaoru 2000–2001* (London, 2000)
Kawauchi, Rinko, *Hanabi* (Tokyo, 2001)
—, *Utatane* (Tokyo, 2001)
—, *Aila* (Tokyo, 2004)

—, *Cui Cui* (Tokyo, 2005)
Kolbowksi, Silvia, *Imadequate...Like...Power* (Cologne, 2005)
Kulik, Oleg, *Selected Projects, Moscow 1991–1993* (London, 1997)
Lamsweerde, Inez van, and Vinoodh Matadin, *Inez van Lamsweerde and Vinoodh Matadin: Pretty Much Everything* (Göttingen, 2007)
Lassry, Elad, *Elad Lassry* (Zurich, 2010)
Lê, An-My, *Small Wars* (New York, 2005)
Lee, Nicki S., *Nikki S. Lee: Projects* (Ostfildern, 2001)
Leonard, Zoe, *The Fae Richards Photo Archive* (New York, 1997)
—, *Analogue* (Minneapolis, 2007)
—, *Zoe Leonard* (Göttingen, 2008)
Letinsky, Laura, *Now Again* (Antwerp, 2006)
Levine, Sherrie, *Sherrie Levine* (London and New York, 2007)
Li, Dinu, *As If I Were a River* (Manchester, 2003)
Lipper, Susan, *Trip* (Stockport, 2000)
Lockhart, Sharon, *Teatro Amazonas* (Rotterdam, 1999)
Lucas, Sarah, *Sarah Lucas* (London, 2002)
Lum, Ken, *Four Boats Stranded: Red and Yellow, Black and White, 2001* (Vancouver, 2001)
Luxemburg, Rut Blees, *Commonsensual: The Works of Rut Blees Luxemburg* (London, 2009)
Maier-Aichen, Florian, *Florian Maier-Aichen* (Los Angeles, 2007)
Manchot, Melanie, *Love is a Stranger: Photographs, 1998–2001* (Munich, 2001)
Mannikko, Esko, *Esko Mannikko* (Stuttgart, 1996)
McGinley, Ryan, *Ryan McGinley* (New York, 2002)
—, *Whistle for the Wind* (New York, 2012)
McMurdo, Wendy, *Wendy McMurdo* (Salamanca, 1999)
Meene, Hellen van, *Hellen van Meene* (London, 1999)
Meiselas, Susan, Kurdistan: *In the Shadow of History* (New York, 1997)
—, *Encounters with the Dani* (Göttingen, 2003)
—, *In History* (Göttingen and New York, 2008)
Mesa-Pelly, Deborah, *Deborah Mesa-Pelly* (Salamanca, 2000)
Mikhailov, Boris, *Boris Mikhailov: A Retrospective* (Zurich, 2003)
—, *Time is Out of Joint* (Berlin, 2012)
Misrach, Richard, *Desert Cantos* (Albuqerque, 1987)
—, *Petrochemical America* (New York, 2012)
Moffatt, Tracey, *Tracey Moffatt* (Ostfildern, 1998)
—, *Laudanum* (Ostfildern, 1999)
Moon, Boo, *Boo Moon* (Tucson, 1999)
Mori, Mariko, *Mariko Mori* (Chicago, 1998)
Morimura, Yasumasa, *Daughter of Art History: Photographs* (New York, 2003)
Mthethwa, Zwelethu, *Zwelethu Mthethwa* (New York, 2010)
Muniz, Vik, *Reflex: A Vik Muniz Primer* (New York, 2005)
Niedermayr, Walter, *The Aspen Series* (Ostfildern, 2013)
Nieweg, Simone, *Landschaften und Gartenstücke* (Amsterdam, 2002)
Norfolk, Simon, *Afghanistan* (Stockport, 2002)
O'Callaghan, *Deidre, Hide That Can* (London, 2002)
Orozco, Gabriel, *Photogravity* (Philadelphia, 1999)
—, *Trabajo* (Cologne, 2003)
Paglen, Trevor, *Invisible: Covert Operations and Classified Landscapes* (New York, 2010)
—, *The Last Pictures* (Berkeley, 2012)
Parker, Cornelia, *Cornelia Parker* (Turin, 2001)
Parr, Martin, *Martin Parr* (London, 2004)
—, *Small World* (Stockport, 2007)
—, *The Last Resort* (Stockport, 2009)
Prince, Richard, *Richard Prince: Paintings – Photographs* (Ostfildern, 2002)
—, *Richard Prince* (New York, 2002)
Richardson, Clare, *Harlemville* (Göttingen, 2003)
—, *Clare Richardson: Beyond the Forest* (Göttingen, 2007)
Riddy, John, *Praeterita* (Oxford, 2000)
Ristelhueber, Sophie, *Fait* (New York, 2009)
—, *Details of the World* (Boston, 2001)
Robbins, Andrea and Max Becher, *Andrea Robbins and Max Becher: Portraits* (New York, 2008)
Rousse, Georges, *Georges Rousse: 1981–2000* (Geneva, 2000)
Ruff, Thomas, *Thomas Ruff: 1979 to the Present* (Cologne, 2001)
—, *Thomas Ruff: 1979–2010* (Munich, 2012)
Ruscha, Ed, *Then and Now* (Göttingen, 2005)
—, *Ed Ruscha: Photographer* (Göttingen, 2007)
Sanguinetti, Alessandra, *On the Sixth Day* (Portland, OR 2005)
Schmid, Joachim, *Photoworks 1982–2007*

(Göttingen，2007)
Schorr，Collier，*Jens F.* (Göttingen，2005)
—，*Forest and Fields: Neighbors* (Göttingen，2006)
—，*Forest and Fields: Blumen* (Göttingen，2009)
Seino，Yoshiko，*The Sign of Life* (Tokyo，2003)
Sekula，Allan，*Dismal Science: Photoworks 1972–1996* (Normal，IL，1999)
Shafran，Nigel，*Nigel Shafran* (Göttingen，2004)
—，*Nigel Shafran: Flowers For __* (Cologne，2009)
Shahbazi，Shirana，*Shirana Shahbazi: Meanwhile* (Zurich，2008)
Sheihk，Fazal，*A Camel For the Son* (Göttingen，2001)
—，*Fazal Sheihk: Ladli* (Göttingen，2007)
Sherman，Cindy，*Cindy Sherman: The Complete Untitled Film Stills* (New York，2003)
—，*Cindy Sherman* (Paris，2007)
—，*Cindy Sherman* (New York，2012)
Shonibare，Yinka，*Yinka Shonibare，MBE* (Munich，2008)
Shore，Stephen，*American Surfaces，*1972 (Munich，1999)
—，*Uncommon Places: The Complete Works* (London，2004)
Shrigley，David，Do Not Bend (London，2001)
Smith，Bridget，Bridget Smith (Salamanca，2002)
Søndergaard，Trine，*Now That You Are Mine* (Göttingen，2002)
Soth，Alec，*Sleeping by the Mississippi* (Göttingen，2004)
—，*Niagara* (Göttingen，2006)
—，*Dog Days，Bogotá* (Göttingen，2007)
Southam，Jem，*The Shape of Time: Rockfalls，Rivermouths，Ponds* (Eastbourne，2000)
—，*The Painter's Pool* (Portland，OR，2007)
Starkey，Hannah，*Hannah Starkey: Photographs 1997–2007* (Göttingen，2008)
Stehli，Jemima，*Jemima Stehli* (London，2002)
Sternfeld，Joel，*American Prospects* (Göttingen，2004)
—，*Stranger Passing* (San Francisco，2001)
Stewart，Christopher，*Christopher Stewart* (Salamanca，2004)
Strba，Annelies，*Shades of Time* (Ennetbaden，1997)
Sugimoto，*Hiroshi，Portraits* (New York，2000)
—，*Architecture* (Chicago，2003)
—，*Hiroshi Sugimoto* (Munich，2005)
Sultan，Larry，*Pictures from Home* (New York，1992)
—，*The Valley* (Zurich，2004)
Sultan，Larry，and Mike Mandel，*Evidence* (New York，2004)
—，*Larry Sultan & Mike Mandel* (New York，2012)
Tandberg，Vibeke，*Vibeke Tandberg: Kunstmuseum Thun* (Thun，2000)
Taylor-Wood，Sam，*Sam Taylor-Wood* (Göttingen，2002)
Teller，Juergen，*Märchenstüberl* (Göttingen，2002)
—，*The Master* (Göttingen，2005)
Teller，Juergen，and Cindy Sherman，*Juergen Teller，Cindy Sherman，Marc Jacobs* (New York，2006)
Tillmans，Wolfgang，*If One Thing Matters，Everything Matters* (London，2003)
—，*Wolfgang Tillmans: Lighter* (Munich，2008)
—，*Neue Welt/New World* (Cologne，2012)
Tronvoll，Mette，*Mette Tronvoll: Isortoq Unartoq* (Cologne，2000)
Wall，Jeff，*Jeff Wall Catalogue Raisonné 1978–2004* (Göttingen，2005)
—，*Jeff Wall* (London，2009)
Waplington，Nick，*Safety in Numbers* (London，1997)
—，*Learn How to Die the Easy Way* (London，2002)
Wearing，Gillian，*Signs That Say What You Want Them To Say And Not Signs That Say What Someone Else Wants You To Say 1992–1993* (London，1997)
Welling，James，*James Welling: Flowers* (New York，2005)
—，*Light Sources 1992–2004* (Göttingen，2009)
—，*James Welling: Monograph* (New York，2013)
Wenders，Wim，*Pictures from the Surface of the Earth* (Munich，2001)
Wentworth，Richard，*Richard Wentworth–Eugène Atget: Faux Amis* (London，2001)
White，Charlie，*Charlie White: American Minor* (Zurich，2009)
Willmann，*Manfred Das Land* (Salzburg，2000)
Wurm，Erwin，*Erwin Wurm* (Ostfildern，2002)
—，*Erwin Wurm: One Minute Sculptures – Catalogue Raisonné 1988–1998* (Ostfildern，1999)
Wyse，Mark，*18 Landscapes* (Portland，OR，2005)
Ya'ari，Sharon，*500m Radius* (Tel Aviv，2006)
Yang Yong，*Yang Yong* (Beijing，2003)

图片版权

以下标注的作品尺寸为厘米 × 厘米（英寸 × 英寸）；前面数据为高度，后面数据为宽度。

1. Sarah Jones, *The Bedroom (I),* 2002. C-print mounted on aluminium, 150 × 150 (59 × 59). © the artist, courtesy Maureen Paley Interim Art, London. **2.** Daniel Gordon, *Anemone Flowers and Avocado*, 2012. C-print, 114.3 × 91.4 (45 × 36). Courtesy the artist and Wallspace, New York. **3.** William Eggleston, *Untitled*, 1970. Vintage dye transfer print, 40.6 × 50.8 (16 × 20). From the series *Memphis*. Courtesy Cheim & Reid, New York. © Eggleston Artistic Trust. **4.** Stephen Shore, *Untitled (28a)*, 1972. C-print, 10.2 × 15.2 (4 × 6). From the series *American Surfaces*. Courtesy Sprüth Magers Lee, London. Copyright the artist. **5.** Alec Soth, *Sugar's, Davenport, IA*, 2002. C-print, 101.6 × 81.3 (40 × 32). From the series *Sleeping by the Mississippi*. Courtesy Yossi Milo Gallery, New York. **6.** Bernd and Hilla Becher, *Twelve Water-towers*, 1978–85. Black-and-white photograph, 165 × 180 (65 × $70\frac{7}{8}$). Collection F.R.A.C. Lorraine. Courtesy Sonnabend Gallery, New York. **7.** Lewis Baltz, *Southwest Wall, Vollrath, 2424 McGaw, Irvine, fromThe New Industrial Parks near Irvine,California*, 1974, gelatin silver print 15.2 × 22.9 (6 × 9) © Lewis Baltz, courtesy Galerie Thomas Zander, Cologne. **8.** Lázló Moholy-Nagy, *Lightplay: Black/White/Gray, Museum of Modern Art (MoMA), c.* 1926. Gelatin silver print, 37.4 × 27.4 ($14\frac{3}{4}$ × $10\frac{3}{4}$). Gift of the photographer. Acc. n.: 296.1937. Digital image: The Museum of Modern Art, New York/Scala, Florence. © Hattula Moholy-Nagy/DACS 2014 **9.** Man Ray/Marcel Duchamp, *Dust Breeding*, 1920. Gelatin silver print. 23.9 × 30.4 cm ($9\frac{7}{16}$ × 12 in.). Purchase, Photography in the Fine Arts Gift, 1969 (69.521). Image © The Metropolitan Museum of Art/Art Resource/Scala, Florence. © Man Ray Trust/ ADAGP, Paris and DACS, London 2014/ © Succession Marcel Duchamp/ADAGP, Paris and DACS, London 2014 **10.** Philip-Lorca diCorcia, *Head #7,* 2000. Fuji Crystal Archive print, 121.9 × 152.4 (48 × 60). © Philip-Lorca diCorcia. Courtesy Pace/MacGill Gallery, New York. **11.** Alfred Stieglitz, *Fountain, 1917, by Marcel Duchamp,* 1917. Gelatin silver print, 23.5 × 17.8 ($9\frac{1}{2}$ × 7). Private collection, France. Duchamp: © ADAGP, Paris and DACS, London 2004. **12.** Sophie Calle, *The Chromatic Diet*, 1998. Extract from a series of 7 photographs and menus. Photograph, 48 × 72 ($18\frac{7}{8}$ × $28\frac{3}{8}$). Courtesy Galerie Emmanuel Perrotin, Paris. © ADAGP, Paris and DACS, London 2004. **13.** Zhang Huan, *To Raise the Water Level in a Fishpond*, 1997. C-print, 101.6 × 152.4 (40 × 60). Courtesy the artist. **14.** Rong Rong, *Number 46: Fen. Maliuming's Lunch, East Village Beijing*, 1994. Gelatin silver print, 120 × 180 ($47\frac{1}{4}$ × $70\frac{7}{8}$).With thanks to Chinese Contemporary (Gallery), London. **15.** Joseph Beuys, *I Like America and America Likes Me*, 1974. Rene Block Gallery, New York, 1974. Courtesy Ronald Feldman Fine Arts, New York. Photo © Caroline Tisdall. © DACS 2004. **16.** Oleg Kulik, *Family of the Future*, 1992–97. C-type print, 50 × 50 ($19\frac{5}{8}$ × $19\frac{5}{8}$). Courtesy White Space Gallery, London. **17.** Melanie Manchot, *Gestures of Demarcation VI*, 2001. C-print, 80 × 150 ($31\frac{1}{2}$ × 59). Courtesy Rhodes + Mann Gallery, London. **18.** Jeanne Dunning, *The Blob 4*, 1999. Ilfochrome mounted to plexiglas and frame, 94 × 123.8 (37 × $48\frac{3}{4}$). Courtesy Feigen Contemporary, New York. **19.** Tatsumi Orimoto, *Bread Man Son and Alzheimer Mama,Tokyo*, 1996. From the series *Art Mama*. C-print, 200 × 160 ($78\frac{3}{4}$ × 63). Courtesy DNA Gallery, Berlin. **20.** Erwin Wurm, *The bank manager in front of his bank*, 1999. C-print, 186 × 126.5 ($73\frac{1}{4}$ × $49\frac{3}{4}$). Edition of 3 and 2 AP. From the series Cahors. Galerie ARS FUTURA, Zurich, Galerie Anne de Villepoix, Paris. **21.** Erwin Wurm, *Outdoor Sculpture*, 1999. C-print, 186 × 126.5 ($73\frac{1}{4}$ × $49\frac{3}{4}$). Edition of 3 and 2 AP. From the series *Cahors*. Galerie ARS FUTURA, Zurich, Galerie Anne de Villepoix, Paris. **22.** Gillian

Wearing, *Signs that say what you want them to say and not signs that say what someone else wants you to say*, 1992–93. C-print, 122 × 92 (48 × 36¼). Courtesy Maureen Paley Interim Art, London. **23.** Bettina von Zwehl, #2, 1998. C-print mounted on aluminium, 80 × 100 (31½ × 39⅜). From the series *Untitled I*. Courtesy Lombard-Freid Fine Arts, New York. **24.** Shizuka Yokomizo, *Stranger (10)*, 1999. C-print, 127 × 108 (50 × 42½). Courtesy The Approach, London. **25.** Hellen van Meene, *Untitled #99*, 2000. C-print, 39 × 39 (15⅜ × 15⅜). From the series *Japan*. © the artist, courtesy Sadie Coles HQ, London. **26.** Ni Haifeng, *Self-portrait as a Part of Porcelain Export History (no. 1)*, 1999–2001. C-print, 100 × 127 (39⅜ × 50). Courtesy Gate Foundation/ Lumen Travo Gallery, Amsterdam. **27.** Kenneth Lum, *Don't Be Silly,You're Not Ugly*, 1993. C-print, aluminium, lacquer paint, pvc, 182.9 × 243.8 × 5.1 (72 × 96 × 2). Courtesy Collection of Vancouver Art Gallery, Canada; Private Collection, Cologne. **28.** Roy Villevoye, Presents *(3 Asmat men, 3 T-shirts, 3 presents)*, 1994. C-print from slide, 100 × 150 (39⅜ × 59). Courtesy Fons Welters Gallery, Amsterdam. **29.** Nina Katchadourian, *Mended Spiderweb #19 (Laundry Line)*, 1998. C-print, 50.8 × 76.2 (20 × 30). Courtesy the artist and Debs & Co., New York. **30.** Wim Delvoye, *Out Walking the Dog*, 2000. C-print on aluminium, 100 × 125 (39⅜ × 49¼). Courtesy the artist. **31.** David Shrigley, *Ignore This Building*, 1998. C-print, 39 × 49 (15⅜ × 19¼). Courtesy Stephen Friedman Gallery, London. **32.** Sarah Lucas, *Get Off Your Horse and Drink Your Milk*, 1994. Cibachrome on aluminium, 84 × 84 each photograph (33⅛ × 33⅛). © the artist, courtesy Sadie Coles HQ, London. **33.** Annika von Hausswolff, *Everything is connected, he, he, he*, 1999. C-print, 106.7 × 137.2 (42 × 54). Courtesy the artist and Casey Kaplan, New York. **34.** Mona Hatoum, *Van Gogh's Back*, 1995. C-print, 50 × 38 ($19^{3}4$ × 15). © the artist.Courtesy Jay Jopling/ White Cube, London. **35.** Georges Rousse, *Mairet*, 2000. Lamdachrome print, variable dimensions. Courtesy Robert Mann Gallery, New York. © ADAGP, Paris, and DACS, London 2004. **36.** David Spero, *Lafayette Street, New York*, 2003. C-print, 108 × 138 (42½ × 54⅜). From the series *Ball Photographs*. Courtesy the artist. **37.** Tim Davis, *McDonalds 2, Blue Fence*, 2001. C-print, 152.4 × 121.9 (60 × 48). Edition of 7. Courtesy Brent Sikkema, New York. **38.** Olga Chernysheva, *Anabiosis (Fisherman; Plants)*, 2000. C-print, 104 × 72 (41 × 28⅜). Courtesy White Space Gallery, London. **39.** Rachel Harrison, *Untitled (Perth Amboy)*, 2001. C-print, 66 × 50.8 (26 × 20). Courtesy the artist and Greene Naftali, New York. **40.** Philip-Lorca diCorcia, *Head #23*, 2000. Fuji Crystal Archive print, 121.9 × 152.4 (48 × 60). © Philip-Lorca diCorcia. Courtesy Pace/MacGill Gallery, New York. **41.** Roni Horn, *You Are the Weather* (installation shot), 1994–96. 100 colour photographs and gelatin silver prints, 26.5 × 21.4 each (10⅜ × 8⅜). Courtesy the artist and Matthew Marks Gallery, New York. **42.** Jeff Wall, *Passerby*, 1996. Black-and-white print, 229 × 335 (90⅛ × 131⅞). Courtesy Jeff Wall Studio. **43.** Jeff Wall, *Insomnia*, 1994. Transparency in lightbox, 172 × 214 (67¾ × 84¼). Courtesy Jeff Wall Studio. **44.** Philip-Lorca diCorcia, *Eddie Anderson; 21 years old;Houston,TX;$20,* 1990–92. Ektacolour print, image 65.7 × 96.4 (25⅞ × 38), paper 76.2 × 101.6 (30 × 40). Edition of 20. © Philip-Lorca diCorcia. Courtesy Pace/MacGill Gallery, New York. **45.** Teresa Hubbard and Alexander Birchler, *Untitled*, 1998. C-print, 145 × 180 (57⅛ × 70⅞). From the series *Stripping*. Edition of 5. Courtesy the artists and Tanya Bonakdar Gallery, New York. **46.** Sam Taylor-Wood, *Soliloquy I*, 1998. C-print (framed), 211 × 257 (83⅛ × 101⅛). © the artist. Courtesy Jay Jopling/White Cube, London. **47.** Tom Hunter, *The Way Home*, 2000. Cibachrome print, 121.9 × 152.4 (48 × 60). © the artist. Courtesy Jay Jopling/White Cube, London. **48.** Yinka Shonibare, *Diary of a Victorian Dandy 19:00 hours*, 1998. C-print, 183 × 228.6 (72 × 90). Courtesy Stephen Friedman Gallery, London. **49.** Sarah Dobai, *Red Room*, 2001. Lambdachrome, 127 × 150 (50 × 59). Courtesy Entwistle, London. **50.** Liza May Post, *Shadow*, 1996. Colour photograph mounted on aluminium, 166 × 147 (65⅜ × 57⅞). Courtesy Annet Gelink Gallery, Amsterdam. **51.** Sharon Lockhart, *Group #4: Ayako Sano*, 1997. Chromogenic print, 114.3 × 96.5 (45 × 38). 12 framed prints, overall dimensions 82 × 249.5 (32¼ × 98¼). From the series *Goshogaoka Girls Basketball Team*. Edition of 8. Courtesy neugerriemschneider, Berlin, Barbara Gladstone Gallery, New York, and Blum and Poe, Santa Monica. **52.** Frances Kearney, *Five People Thinking the Same Thing, III*, 1998. C-print, 152.4 × 121.9

(48 × 60). Courtesy the artist. **53.** Hannah Starkey, *March 2002*,
2002. C-print, 122 × 183 (48 × 72). Courtesy Maureen Paley Interim Art, London. **54.** Justine Kurland, *Buses on the Farm*, 2003. C-print framed, 64 × 75 (25¼ × 29½). From the series *Golden Dawn*. Courtesy Emily Tsingou Gallery, London, and Gorney Bravin + Lee, New York. **55.** Sarah Jones, *The Guest Room (bed) I*, 2003. C-print mounted on aluminium, 130 × 170 (51⅛ × 66⅞).© the artist, courtesy Maureen Paley Interim Art, London. **56.** Sergey Bratkov, #1, 2001. C-print, 120 × 90 (47¼ × 35⅜). From the series *Italian School*. Courtesy Regina Gallery, Moscow. **57.** Wendy McMurdo, *Helen, Backstage, Merlin Theatre (the glance)*, 1996. C-print, 120 × 120 (47¼ × 47¼). © Wendy McMurdo. **58.** Deborah Mesa-Pelly, *Legs*, 1999. C-print, 50.8 × 61 (20 × 24). Courtesy the artist and Lombard-Freid Fine Arts, New York. **59.** Anna Gaskell, *Untitled #59 (by proxy)*, 1999. C-print, 101.6 × 76.2 (40 × 30). © the artist. Courtesy Jay Jopling/White Cube, London. **60.** Inez van Lamsweerde and Vinoodh Matadin, *The Widow (Black)*, 1997. C-print on plexiglas, 119.4 × 119.4 (47 × 47). Courtesy the artist and Matthew Marks Gallery, New York. **61.** Mariko Mori, *Burning Desire*, 1996–98. Glass with photo interlayer, 305 × 610 × 2.2 (120⅛ × 240⅛ × ⅞). From the series *Esoteric Cosmos*. Courtesy Mariko Mori. **62.** Gregory Crewdson, *Untitled (Ophelia)*, 2001. Digital C-print, 121.9 × 152.4 (48 × 60). From the series *Twilight*. © the artist. Courtesy Jay Jopling/White Cube, London. **63.** Charlie White, *Ken's Basement*, 2000. Chromogenic print on Fuji Crystal Archive paper mounted on plexiglas, 91.4 × 152.4 (36 × 60). From the series *Understanding Joshua*. Courtesy the artist and Andrea Rosen Gallery, New York. © Charlie White. **64.** Izima Kaoru, *#302,AureWears Paul & Joe*, 2001. From the series *Landscape with a Corpse*. C-print, 124 × 156 (48⅞ × 61⅜). Courtesy Von Lintel Gallery, New York, (gallery@vonlintel.com). **65.** Christopher Stewart, *United States of America*, 2002. C-print, 150 × 120.5 (59 × 47½). From the series *Insecurity*. Courtesy the artist. **66.** Katharina Bosse, *Classroom*, 1998. Colour negative print, 101 × 76 (39¾ × 28⅞). From the series *Realms of signs, realms of senses*. Courtesy Galerie Reckermann, Cologne. **67.** Miriam Bäckström, *Museums,Collections and Reconstructions, IKEA Corporate Museum, 'IKEA throughout the Ages'. Älmhult, Sweden, 1999*, 1999. Cibachrome on glass, 120 × 150 (47¼ × 59). Courtesy Nils Stærk Contemporary Art, Copenhagen. **68.** Miles Coolidge, *Police Station, Insurance Building, Gas Station,* 1996. C-print, 111.8 × 76.2 (44 × 30). From the series *Safetyville*. Courtesy Casey Kaplan, New York, and ACME, Los Angeles. **69.** Thomas Demand, *Salon (Parlour),* 1997. Chromogenic print on photographic paper and diasec, 183.5 × 141 (72¼ × 55½). Courtesy the artist and Victoria Miro Gallery, London, and 303 Gallery, New York. © DACS 2004. **70.** Anne Hardy, *Lumber*, 2003–04. C-print, 152 × 121 (59⅞ × 47⅝). From the series *Interior Landscapes*.Courtesy the artist. **71.** James Casebere, *Pink Hallway #3*, 2000. Cibachrome mounted on plexiglas, 152.4 × 121.9 (60 × 48). Courtesy Sean Kelly Gallery, New York. **72.** Rut Blees Luxemburg, *Nach Innen/In Deeper*, 1999. C-print, 150 × 180 (59 × 70⅞). From the series *Liebeslied*. © Rut Blees Luxemburg. **73.** Desiree Dolron, *Cerca Paseo de Marti*, 2002. Di bonded cibachrome print, 125 × 155 (49¼ × 61). From the series *Te DiTodos Mis Sueños*. © Desiree Dolron, courtesy Michael Hoppen Gallery, London. **74.** Hannah Collins, *In the Course of Time, 6 (Factory Krakow)*, 1996. Gelatin silver print mounted on cotton, 233 × 525 (91¾ × 206¾). Collection Reina Sofia Museum, Madrid. © the artist. **75.** Celine van Balen, *Muazez*, 1998. C-print mounted on aluminium and matt laminate, 50 × 62 (19⅝ × 24⅜). From the series *Muslim girls*. Courtesy Van Zoetendaal, Amsterdam. **76.** Andreas Gursky, *Chicago, Board of Trade II*, 1999. C-print, 207 × 336.9 (81½ × 132⅝). Courtesy Matthew Marks Gallery, New York and Monika Sprüth Gallery/Philomene Magers, © DACS 2004. **77.** Andreas Gursky, *Prada I*, 1996. C-print, 145 × 220 (57⅛ × 86⅝). Courtesy Matthew Marks Gallery, New York and Monika Sprüth Gallery/Philomene Magers, © DACS 2004. **78.** Walter Niedermayr, *ValThorens II*, 1997. Colour photograph, 103 × 130 (40½ × 51⅛) each photograph. Courtesy Galerie Anne de Villepoix, Paris. **79.** Ed Burtynsky, *Oil Fields #13,Taft,California*, 2002. Chromogenic colour print, 101.6 × 127 (40 × 50). From the series Oil Fields. © Edward Burtynsky, Toronto. **80.** Bridget Smith, *Airport,LasVegas*, 1999. C-print, 119 × 162.5 (46⅞ × 64). Courtesy the artist and Frith Street Gallery, London. **81.** Takashi Homma, *Shonan International Village, Kanagawa*, 1995–98.

C-print, variable dimensions. From the series *Tokyo Suburbia*. Courtesy Taka Ishii Gallery, Tokyo. **82.** Lewis Baltz, *Power Supply No.1*, 1989–92. C-print, 114 × 146 ($44\frac{7}{8}$ × $57\frac{1}{2}$). From the series *Sites of Technology*. Courtesy Galerie Thomas Zander, Cologne. © Lewis Baltz. **83.** Matthias Hoch, *Leipzig #47*, 1998. C-print, 100 × 120 ($39\frac{3}{8}$ × $47\frac{1}{4}$). Courtesy Galerie Akinci, Amsterdam and Dogenhaus Galerie, Leipzig. **84.** Jacqueline Hassink, *Mr. Robert Benmosche, Chief Executive Officer, Metropolitan Life Insurance, New York, NY, April 20, 2000,* 2000. C-print, 130 × 160 ($59\frac{1}{8}$ × 63). Courtesy the artist. **85.** Candida Höfer, *Bibliotheca PHE Madrid I,* 2000. C-print, framed, 154.9 × 154.9 (61 × 61). Courtesy Candida Höfer/VG Bild-Kunst © 2004. **86.** Naoya Hatakeyama, *Untitled, Osaka* 1998–99. C-print, two photographs, 89 × 180 each (35 × $70\frac{7}{8}$). Courtesy Taka Ishii Gallery, Tokyo. **87.** Axel Hütte, *The Dogs' Home, Battersea*, 2001. Duratrans print, 135 × 165 ($53\frac{1}{8}$ × 65). From the series *As Dark as Light*. Courtesy Galeria Helga de Alvear, Madrid. **88.** Dan Holdsworth, *Untitled (A machine for living),* 1999. C-print, 92.5 × 114.5 ($36\frac{3}{8}$ × $45\frac{1}{8}$). Courtesy Entwistle, London. **89.** Richard Misrach, *Battleground Point #21*, 1999. Chromogenic print, 50.8 × 61 (20 × 24) edition of 25, 121.9 × 152.4 (48 × 60) edition of 5. Courtesy the artist and Catherine Edelman Gallery, Chicago. **90.** Thomas Struth, *Pergamon Museum 1, Berlin*, 2001. C-print, 197.5 × 248.6 ($77\frac{3}{4}$ × $97\frac{7}{8}$). Courtesy the artist and Marian Goodman Gallery, New York. **91.** John Riddy, *Maputo (Train)* 2002, 2002. C-print, 46 × 60 ($18\frac{1}{8}$ × $23\frac{5}{8}$). Courtesy the artist and Frith Street Gallery, London. **92.** Gabriele Basilico, *Beirut*, 1991. C-print, 18 × 24 ($7\frac{1}{8}$ × $9\frac{1}{8}$). © Gabriele Basilico. **93.** Simone Nieweg, *Grünkohlfeld,Düsseldorf – Kaarst*, 1999. C-print, 36 × 49 ($14\frac{1}{8}$ × $19\frac{1}{4}$). © Simone Nieweg, courtesy Gallery Luisotti, Los Angeles. **94.** Yoshiko Seino, *Tokyo*, 1997. C-print, 50.8 × 61 (20 × 24). From the series *Emotional Imprintings*. © Yoshiko Seino. Courtesy Osiris, Tokyo. **95.** Gerhard Stromberg, *Coppice (King's Wood)*, 1994–99. C-print, 132 × 167 (52 × $65\frac{3}{4}$). Courtesy Entwistle, London. **96** and **97.** Jem Southam, *Painter's Pool*, 2003. C-print, 91.5 × 117 (36 × 46). ©Jem Southam, courtesy Hirschl Contemporary Art, London. **98.** Boo Moon, *Untitled (East China Sea)*, 1996. C-print, variable dimensions. © boomoon. **99.** Clare Richardson, *Untitled IX*, 2002. C-print, 107.5 × 127 ($42\frac{3}{8}$ × 50). From the series *Sylvan*. © the artist. Courtesy Jay Jopling/White Cube, London. **100.** Lukas Jasansky and Martin Polak, *Untitled*, 1999–2000. Black and white photograph, 80 × 115 ($31\frac{1}{2}$ × $45\frac{1}{4}$). From the series *Czech Landscape*.Courtesy Lukas Jasansky, Martin Polak and Galerie Jirisvestka, Prague. **101.** Thomas Struth, *Paradise 9 (Xi Shuang Banna Provinz Yunnan), China,* 1999. C-print, 275 × 346 ($108\frac{1}{4}$ × $136\frac{1}{4}$). Courtesy the artist and Marian Goodman Gallery, New York. **102.** Thomas Ruff, *Portrait (A.Volkmann)*, 1998. C-print, 210 × 165 ($82\frac{5}{8}$ × 65). Galerie Nelson, Paris/Ruff. © DACS 2004. **103.** Hiroshi Sugimoto, *Anne Boleyn*, 1999. Gelatin silver print, unframed, 149.2 × 119.4 ($58\frac{3}{4}$ × 47). © the artist. Courtesy Jay Jopling/White Cube, London. **104.** Joel Sternfeld, *A Woman with a Wreath, NewYork, NewYork, December 1998*, 1998. C-print, 91.4 × 109.2 (36 × 43). Courtesy the artist and Luhring Augustine,New York. **105.** Jitka Hanzlová, *Indian Woman,NY Chelsea*, 1999. C-print, 29 × 19.3 ($11\frac{3}{8}$ × $7\frac{5}{8}$). From the series *Female*. Courtesy Jitka Hanzlová. **106.** Mette Tronvoll, *Stella and Katsue, Maiden Lane,* 2001. C-print, 141 × 111 ($55\frac{1}{4}$ × $43\frac{3}{4}$), frame, 154 × 124 ($60\frac{5}{8}$ × $48\frac{7}{8}$). From the series *New Portraits*. Galerie Max Hetzler, Berlin. **107.** Albrecht Tübke, *Celebration*, 2003. C-print, 24 × 30 ($9\frac{1}{2}$ × $11\frac{3}{4}$). Courtesy the artist. **108.** Rineke Dijkstra, *Julie, Den Haag, Netherlands, February 29, 1994,* 1994. C-print, 153 × 129 ($60\frac{1}{4}$ × $50\frac{3}{4}$). From the series *Mothers*. Courtesy the artist and Marian Goodman Gallery, New York. **109.** Rineke Dijkstra, *Tecla, Amsterdam, Netherlands, May 16,1994*, 1994. C-print, 153 × 129 ($60\frac{1}{4}$ × $50\frac{3}{4}$). From the series *Mothers*. Courtesy the artist and Marian Goodman Gallery, New York. **110.** Rineke Dijkstra, *Saskia, Harderwijk, Netherlands, March 16, 1994*, 1994. C-print, 153 × 129 ($60\frac{1}{4}$ × $50\frac{3}{4}$). From the series *Mothers*. Courtesy the artist and Marian Goodman Gallery, New York. **111.** Peter Fischli and David Weiss, *Quiet Afternoon*, 1984–85. Colour and black-and-white photographs, dimensions ranging from 23.3 × 30.5 ($9\frac{1}{8}$ × 12) to 40.6 × 30.5 (16 × 12). Courtesy the artists and Matthew Marks Gallery, New York. **112.** Gabriel Orozco, *Breath on Piano*, 1993. C-print, 40.6 × 50.8 (16 × 20). Edition of 5. Courtesy the artist and Marion Goodman Gallery, New York. **113.** Felix Gonzalez-Torres, *'Untitled'*,

1991. Billboard, dimensions vary with installation. As installed for The Museum of Modern Art, New York "Projects 34: Felix Gonzalez-Torres" May 16–June 30, 1992, in twenty-four locations throughout New York City. © The Felix Gonzalez-Torres Foundation. Courtesy Andrea Rosen Gallery, New York. Photograph by Peter Muscato. **114.** Richard Wentworth, *Kings Cross, London*, 1999. Unique colour photograph, 28.8 × 19 ($11\frac{3}{8}$ × $7\frac{1}{2}$). From the series *Making Do and Getting By*. Courtesy Lisson Gallery, London, and the artist. **115.** Jason Evans, *New Scent*, 2000–03. Resin coated black-and-white print, 30.5 × 25.4 (12 × 10). Courtesy the artist. **116.** Nigel Shafran, *Sewing kit (on plastic table) Alma Place*, 2002. C-print, 58.4 × 74 (23 × $29\frac{1}{8}$). Courtesy the artist. **117.** Jennifer Bolande, *Globe, St Marks Place,NYC*, 2001. Digital C-print mounted on plexiglas, 98 × 82.5 ($38\frac{5}{8}$ × $32\frac{1}{2}$). Edition of 3. Courtesy Alexander and Bonin, New York. **118.** Jean-Marc Bustamante, *Something is Missing (S.I.M 13.97 B)*, 1997. C-print, image, 40 × 60 ($15\frac{3}{4}$ × $23\frac{1}{2}$), sheet, 51 × 61 (20 × 24). Edition of 6. Courtesy the artist and Matthew Marks Gallery, New York. © ADAGP, Paris, and DACS, London 2004. **119.** WimWenders, *Wall in Paris,Texas*, 2001. C-print, 160 × 125 (63 × $49\frac{1}{4}$). Courtesy Haunch of Venison. **120.** Anthony Hernandez, *Aliso Village #3*, 2000. C-print, 101.6 × 101.6 (40 × 40). Courtesy the artist and Anthony Grant, Inc., New York. **121.** Tracey Baran, Dewy, 2000. C-print, 76.2 × 101.6 (30 × 40). From the series *Still*. © Tracey Baran. Courtesy Leslie Tonkonow Artworks + Projects, New York. **122.** Peter Fraser, *Untitled 2002*, 2002. Fuji Crystal Archive C-print, 50.8 × 61 (20 × 24). From the series *Material*. Courtesy the artist. **123.** Manfred Willmann, *Untitled, 1988*.C-print, 70 × 70 ($27\frac{1}{2}$ × $27\frac{1}{2}$). From the series *Das Land*, 1981–93. Courtesy the artist. **124.** Roe Ethridge, *The Pink Bow*, 2001–02. C-print, 76.2 × 61 (30 × 24). Courtesy the artist and Andrew Kreps Gallery, New York. **125.** Wolfgang Tillmans, *Suit*, 1997. C-print, variable dimensions. Courtesy Maureen Paley Interim Art, London. **126.** James Welling, *Ravenstein 6*, 2001. Vegetable dye on rag paper, framed, 97 × 156 ($38\frac{1}{4}$ × $61\frac{3}{8}$). Edition of 6. From the series *Light Sources*. Courtesy Donald Young Gallery, Chicago. **127.** Jeff Wall, *Diagonal Composition no*. 3, 2000. Transparency in a lightbox, 74.6 × 94.2 ($29\frac{3}{8}$ × $37\frac{1}{8}$). Courtesy Jeff Wall Studio. **128.** Laura Letinsky, *Untitled #40*, Rome, 2001. Chromogenic print, 59.7 × 43.2 ($23\frac{1}{2}$ × 17). From the series *Morning and Melancholia*. © Laura Letinsky, courtesy Michael Hoppen Gallery. **129.** Uta Barth, *Untitled (nw 6)*, 1999. Colour photograph, framed, 88.9 × 111.8 (35 × 44). From the series *Nowhere Near*. Courtesy the artist, Tanya Bonakdar Gallery, New York, and ACME, Los Angeles. **130.** Sabine Hornig, *Window with Door*, 2002. C-print mounted behind perspex, 168 × 149.5 ($66\frac{1}{8}$ × $58\frac{7}{8}$). Edition of 6. Courtesy the artist and Tanya Bonakdar Gallery, New York. **131.** Nan Goldin, *Gilles and Gotscho Embracing, Paris*, 1992. Cibachrome print, 76.2 × 101.6 (30 × 40).© Nan Goldin, courtesy Matthew Marks Gallery, New York. **132.** Nan Goldin, *Siobhan at the A House #1, Provincetown, MA*, 1990. Cibachrome print, 101.6 × 76.2 (40 × 30). © Nan Goldin, courtesy Matthew Marks Gallery, New York. **133.** Nobuyoshi Araki, *Shikijyo Sexual Desire*, 1994–96. C-print, variable dimensions. Courtesy Taka Ishii Gallery, Tokyo. **134.** Larry Clark, *Untitled*, 1972. 10 gelatin silver prints, 20.5 × 25.4 (8 × 10) each. From the series *Tulsa*. Courtesy the artist and Luhring Augustine, New York. **135.** Juergen Teller, *Selbstportrait: Sauna*, 2000. Black and white bromide print, variable dimensions. Courtesy Juergen Teller. **136.** Corinne Day, *Tara sitting on the loo*, 1995. C-print, 140 × 60 ($15\frac{3}{4}$ × $23\frac{5}{8}$). From the series *Diary*. Courtesy the artist and Gimpel Fils, London. **137.** Wolfgang Tillmans, *Lutz & Alex holding each other*, 1992. C-print, variable dimensions. Courtesy Maureen Paley Interim Art, London. **138.** Wolfgang Tillmans, 'If one thing matters, everything matters', installation view, Tate Britain, 2003. Courtesy Maureen Paley, Interim Art, London. **139.** Jack Pierson, *Reclining Neapolitan Boy*, 1995. C-print, 101.6 × 76.2 (40 × 30). Edition of 10. Courtesy the artist and Cheim & Reid, New York. **140.** Richard Billingham, *Untitled*, 1994. Fuji Longlife colour photograph mounted on aluminium, 80 × 120 ($31\frac{1}{2}$ × $47\frac{1}{4}$). © the artist, courtesy Anthony Reynolds Gallery, London. **141.** Nick Waplington, *Untitled*, 1996. C-print, variable dimensions. From the series *Safety in Numbers*. Courtesy the artist. **142.** Anna Fox, *From the series Rise and Fall of Father Christmas, November/ December 2002*, 2002. Archival Inkjet print, 50.8 × 61 (20 × 24). Courtesy the artist. **143.** Ryan McGinley, *Gloria*, 2003. C-print, 76.2 × 101.6 (30

× 40). Courtesy the artist. **144.** Hiromix, from *Hiromix*, 1998. Edited by Patrick Remy Studio. © Hiromix 1998 and © 1998 Steidl Publishers, Göttingen. **145.** Yang Yong, *Fancy in Tunnel*, 2003. Gelatin silver print, 180 × 120 ($70\frac{7}{8}$ × $47\frac{1}{4}$). Courtesy the artist. **146.** Alessandra Sanguinetti, *Vida mia*, 2002. Ilfochrome, 76.2 × 76.2 (30 × 30). Courtesy Alessandra Sanguinetti. **147.** Annelies Strba, *In the Mirror*, 1997. 35 mm slide. From the installation *Shades of Time*. Courtesy the artist and Frith Street Gallery, London. **148.** Ruth Erdt, *Pablo*, 2001. C-print, variable dimensions. From the series *The Gang*. © Ruth Erdt. **149.** Elinor Carucci, *My Mother and I*, 2000. C-print, 76.2 × 101.6 (30 × 40). From the book *Closer*. Courtesy Ricco/Maresca Gallery. **150.** Tina Barney, *Philip & Philip*, 1996. Chromogenic colour print, 101.6 × 76.2 (40 × 30). Courtesy Janet Borden, Inc., New York. **151.** Larry Sultan, *Argument at the Kitchen Tabl*e, 1986. C-print, 76.2 × 101.6 (30 × 40). From the series *Pictures From Home*. Courtesy the artist and Janet Borden, Inc., New York. **152.** Mitch Epstein, *Dad IV*, 2002. C-print, 76.2 × 101.6 (30 × 40). From the series *Family Business*. Courtesy Brent Sikkema, New York, © Mitch Epstein. **153.** Colin Gray, *Untitled*, 2002. C-print, variable dimensions. Courtesy the artist. **154.** Elina Brotherus, *Le Nez de Monsieur Cheval*, 1999. Chromogenic colour print on Fujicolor Crystal Archive paper, mounted on anodized aluminium, framed, 80 × 102 ($31\frac{1}{2}$ × $40\frac{1}{8}$). From the series *Suite Françaises* 2. Courtesy the artist and &:gb agency, Paris. **155.** Breda Beban, *The Miracle of Death*, 2000. C-print, 152 × 102 ($59\frac{7}{8}$ × $40\frac{1}{8}$). Courtesy the artist. **156.** Sophie Ristelhueber, *Iraq*, 2001. Triptych of chromogenic prints mounted on aluminium and framed, 120 × 180 each ($47\frac{2}{8}$ × $70\frac{7}{8}$). Courtesy the artist. **157.** Willie Doherty, *Dark Stains*, 1997. Cibachrome mounted on aluminium, 122 × 183 (48 × 72). Edition of 3. Courtesy Alexander and Bonin, New York. **158.** Zarina Bhimji, *Memories Were Trapped Inside the Asphalt*, 1998–2003. Transparency in lightbox, 130 × 170 × 12.5 ($51\frac{1}{8}$ × $66\frac{7}{8}$ × $4\frac{7}{8}$). © The artist, Courtesy Lisson Gallery, London and Luhring Augustine, New York. © Zarina Bhimji 2004. All rights reserved, DACS. **159.** Anthony Haughey, *Minefield, Bosnia*, 1999. Lambdachrome, 75 × 75 ($29\frac{1}{2}$ × $29\frac{1}{2}$). From the series *Dispute Territory*. © Anthony Haughey 1999. **160.** Ori Gersht, *Untitled Space 3*, 2001. C-print, 120 × 150 ($47\frac{1}{4}$ × 59). Courtesy the artist and Mummery+Schnelle, London. **161.** Paul Seawright, *Valley*, 2002. Fuji Crystal Archive C-print on aluminium, 122 × 152 (48 × $59\frac{7}{8}$). Courtesy Maureen Paley Interim Art, London. **162.** Simon Norfolk, *Destroyed Radio Installations, Kabul, December 2001*, 2001. Digital C-print, 101.6 × 127 (40 × 50). From the series *Afghanistan: Chronotopia*. Simon Norfolk, courtesy Galerie Martin Kudler, Cologne, Germany. **163.** Fazal Sheikh, *Halima Abdullai Hassan and her grandson Mohammed, eight years after Mohammed was treated at the Mandera feeding centre, Somali refugee camp, Dagahaley, Kenya*, 2000. Gelatin silver print, variable dimensions.© Fazal Sheikh. Courtesy Pace/MacGill Gallery, New York. **164.** Chan Chao, *Young Buddhist Monk, June 1997*, 2000. C-print, 88.9 × 73.7 (35 × 29).From the series *Burma: Something Went Wrong*. Courtesy the artist, and Numark Gallery, Washington. **165.** Zwelethu Mthethwa, *Untitled*, 2003.C-print, 179.1 × 241.3 ($70\frac{1}{2}$ × 95).Courtesy Jack Shainman Gallery, New York. **166.** Adam Broomberg and Oliver Chanarin, *Timmy, Peter and Frederick, Pollsmoor Prison*, 2002. C-print, 40 × 30 ($15\frac{3}{4}$ × $11\frac{3}{4}$). From the series *Pollsmoor Prison*. © 2002, Adam Broomberg and Oliver Chanarin. **167.** Deidre O 'Callaghan, *BBC 1*, March 2001. High resolution scan (SCITE × CT file), 36.53 × 29.6 ($14\frac{3}{8}$ × $11\frac{5}{8}$), 300 dpi, 59.4 MB. From the series 'Hide That Can'. © Deidre O'Callaghan, from the book *Hide That Can*, Trolley 2002. **168.** Trine Søndergaard, *Untitled, image #24*, 1997. From the series *Now that you are mine*.C-print, 100 × 100 ($39\frac{3}{8}$ × $39\frac{3}{8}$). Trine Søndergaard/*Now that you are mine*/Steidl 2002. **169.** Dinu Li, *Untitled*, May 2001. C-print, 50.8 × 60.9 (20 × 24). From the series *Secret Shadows*. Courtesy Open Eye Gallery, Liverpool. **170**. Margareta Klingberg, *Lövsjöhöjden*, 2000–01. C-print, 70 × 100 ($27\frac{1}{2}$ × $39\frac{3}{8}$). Courtesy the artist. © DACS, 2004. **171.** Allan Sekula, *Conclusion of Search for the Disabled and Drifting Sailboat 'Happy Ending'*, 1993–2000. Cibachrome triptych (framed together), 183.5 × 96.5 ($72\frac{1}{4}$ × 38). From the series *Fish Story*. Courtesy the artist and Christopher Grimes Gallery, Santa Monica. **172.** Paul Graham, *Untitled 2002 (Augusta) #60*, 2002. Lightjet Endura C-print, Diasec, 189.5 × 238.5 ($74\frac{5}{8}$ × $93\frac{7}{8}$). From the series *American Night*. © the artist, courtesy Anthony Reynolds Gallery,

London. **173.** Paul Graham, *Untitled 2001 (California)*, 2001. Lightjet Endura C-print, Diasec, 189.5 × 238.5 ($74\frac{5}{8}$ × $93\frac{7}{8}$). From the series *American Night*. © the artist, courtesy Anthony Reynolds Gallery, London. **174.** Martin Parr, *Budapest, Hungary*, 1998. Xerox laser prints, 42 × 59.2 ($16\frac{1}{2}$ × $23\frac{1}{4}$). From the series *Common Sense*. © Martin Parr/Magnum Photos. **175.** Martin Parr, *Weston-Super-Mare, United Kingdom*, 1998. Xerox laser prints, 42 × 59.2 ($16\frac{1}{2}$ × $23\frac{1}{4}$). From the series *Common Sense*. © Martin Parr/Magnum Photos. **176.** Martin Parr, *Bristol, United Kingdom*, 1998. Xerox laser prints, 42 × 59.2 ($16\frac{1}{2}$ × $23\frac{1}{4}$). From the series *Common Sense*. ©Martin Parr/ Magnum Photos. **177.** Martin Parr, *Venice Beach,California, USA*, 1998. Xerox laser prints, 42 × 59.2 ($16\frac{1}{2}$ × $23\frac{1}{4}$). From the series *Common Sense*. © Martin Parr/Magnum Photos. **178.** Luc Delahaye, *Kabul Road*, 2001. C-print, framed, 110 × 245 ($43\frac{1}{4}$ × $96\frac{1}{2}$). © Luc Delahaye/Magnum Photos/Ricci Maresca, New York. **179.** Ziyah Gafic, *Quest for ID*, 2001. C-print, 40 × 40 ($15\frac{3}{4}$ × $15\frac{3}{4}$). Ziyah Gafic/Grazia Neri Agency, Milan. **180.** Andrea Robbins and Max Becher, *German Indians Meeting*, 1997–98. Chromogenic print, 77.4 × 89.4 ($30\frac{3}{8}$ × $35\frac{1}{8}$). © Andrea Robbins and Max Becher. **181.** Shirana Shahbazi, *Shadi-01-2000*, 2000. C-print, 68 × 56 ($26\frac{3}{4}$ × 22). Courtesy Galerie Bob van Orsouw, Zurich. **182.** Esko Mannikko, *Savukoski*, 1994. C-print, variable dimensions. Courtesy the artist. **183.** Roger Ballen, *Eugene on the phone*, 2000. Silver print, 40 × 40 ($15\frac{3}{4}$ × $15\frac{3}{4}$). © Roger Ballen courtesy Michael Hoppen Gallery, London. **184.** Boris Mikhailov, *Untitled*, 1997–98. C-print, 127 × 187 (50 × $73\frac{5}{8}$), edition of 5. 40 × 60 ($15\frac{3}{4}$ × $23\frac{5}{8}$), edition of 10. From the series *Case History*. Courtesy Boris and Victoria Mikhailov. **185.** Vik Muniz, *Action Photo 1*, 1997. Cibachrome, 152.4 × 114.3 (60 × 45), edition of 3. 101.6 × 76.2 (40 × 30), edition of 3. From the series *Pictures of Chocolate*. Courtesy Brent Sikkema, New York. **186.** Cindy Sherman, *Untitled #400*, 2000. Colour photograph, 116.2 × 88.9 ($45\frac{3}{4}$ × 35). Courtesy the artist and Metro Pictures Gallery. **187.** Cindy Sherman, *Untitled #48*, 1979. Black and white print, 20.3 × 25.4 (8 × 10). Courtesy the artist and Metro Pictures Gallery. **188.** Yasumasa Morimura, *Self- portrait (Actress) after Vivien Leigh 4*, 1996. Ilfochrome, framed, acrylic sheet, 120 × 94.6 ($47\frac{1}{4}$ × $37\frac{1}{4}$).Courtesy the artist and Luhring Augustine Gallery, New York. **189.** Nikki S. Lee, *The Hispanic Project (2)*, 1998. Fujiflex print, 54 × 71.8 ($21\frac{2}{8}$ × $28\frac{2}{8}$). ©Nikki S Lee. Courtesy Leslie Tonkonow Artworks + Projects, New York. **190.** Trish Morrissey, *July 22nd, 1972*, 2003. C-print, 76.2 × 101.6 (30 × 40). From the series *Seven Years*. Courtesy the artist. © Trish Morrissey. **191.** GillianWearing, *Self-Portrait as my father Brian Wearing*, 2003. Black-and-white print, framed, 164 × 130.5 ($64\frac{5}{8}$ × $51\frac{3}{8}$). Courtesy Maureen Paley Interim Art, London. **192** and **193.** Jemima Stehli, *After Helmut Newton's 'Here They Come'*, 1999. Black-and-white photographs on foamex, 200 × 200 ($78\frac{3}{4}$ × $78\frac{3}{4}$). Courtesy Lisson Gallery, London, and the artist. **194, 195** and **196.** Zoe Leonard and Cheryl Dunye, *The Fae Richards Photo Archive*, 1993–96. Created for Cheryl Dunye's film *The Watermelon Woman* (1996), 78 black-and-white photographs, 4 colour photographs and notebook of seven pages of typed text on typewriter paper, photos from 8.6 × 8.6 ($3\frac{3}{8}$ × $3\frac{3}{8}$) to 35.2 × 25.1 ($13\frac{7}{8}$ × $9\frac{7}{8}$), notebook ($11\frac{1}{2}$ × 9) Edition of 3. Courtesy Paula Cooper Gallery, New York. **197.** Collier Schorr, *Jens F (114, 115)*, 2002. Photo collage, 27.9 × 48.3 (11 × 19). Courtesy 303 Gallery, New York. **198.** The Atlas Group/Walid Ra'ad, *Civilizationally We Do Not Dig Holes to Bury Ourselves (CDH: A876)*, 1958–2003. Black-and-white photograph, 12 × 9 ($4\frac{3}{4}$ × $3\frac{1}{2}$). © The artist, courtesy Anthony Reynolds Gallery, London. **199.** Joan Fontcuberta, *Hydropithecus*, 2001. C-print, 120 × 120 ($47\frac{1}{4}$ × $47\frac{1}{4}$). From the series *Digne Sirens*. Courtesy Musée de Digne, France. Joan Fontcuberta, 2004 **200.** Aleksandra Mir, *First Woman on the Moon*, 1999. C-print 91.4 × 91.4 (36 × 36). Event produced by Casco Projects, Utrecht, on location in Wijk aan Zee, Netherlands. **201.** Tracey Moffatt, *Laudanum*, 1998. Toned photogravure on rag paper, 76 × 57 ($29\frac{7}{8}$ × $22\frac{1}{2}$). Series of 19 images, edition of 60. Courtesy the artist and Roslyn Oxley9 Gallery, Sydney, Australia. **202.** Cornelia Parker, *Grooves in a Record that belonged to Hitler (Nutcracker Suite)*, 1996. Transparency, 33 × 22.5 (13 × $8\frac{7}{8}$). Courtesy the artist and Frith Street Gallery, London. **203.** Vera Lutter, *Frankfurt Airport, V: April 19*, 2001. Unique gelatin silver print, 206 × 425 ($81\frac{1}{8}$ × $167\frac{3}{8}$). Courtesy Robert McKeever/Gagosian Gallery, New York. **204.** Susan Derges, *River, 23 November, 1998*, 1998. Ilfochrome, 105.4 × 236.9 ($41\frac{1}{2}$ × $93\frac{1}{4}$).

From the series *River Taw*. Collection Charles Heilbronn, New York. **205.** Adam Fuss, From the series *'My Ghost'*, 2000. Daguerrotype, 20.3 × 25.4 (8 × 10). Courtesy the artist and Cheim & Reid, New York. **206.** John Divola, Installation: *'Chairs'*, 2002. *Image: 'Heir Chaser (Jimmy the Gent)*, 1934/2002. From the series *Chairs*. Installation: approximately 373.4 × 81.3 (147 × 32), image: gelatin silver print, 20.3 × 25.4 (8 × 10). © John Divola. Centro de Arte de Salamanca, Salamanca, Spain. **207.** Richard Prince, *Untitled (Girlfriend)*, 1993. Ektacolour photograph, 111.8 × 162.6 (44 × 64). Courtesy Barbara Gladstone, New York. **208.** Hans-Peter Feldmann, page from *Voyeur*, 1997. *Voyeur* produced by Hans-Peter Feldmann in collaboration with Stefan Schneider, under the direction of Dennis Ruggieri, for Ofac Art Contemporain, La Flèche, France. © 1997 the Authors, © 1997 Verlag der Buchhandlung Walther König, Cologne, in cooperation with 3 Möven Verlag. © DACS 2004 (Feldmann). **209.** Nadir Nadirov in collaboration with Susan Meiselas, *Family Narrative*, 1996. Gelatin silver print on paper, 20.3 × 25.4 (8 × 10). © Nadir Nadirov in collaboration with Susan Meiselas, published in *Kurdistan In the Shadow of History* (Random House, 1997). **210.** Tacita Dean, *Ein Sklave des Kapitals*, 2000. Photogravure, 54 × 79 ($21\frac{1}{4}$ × $31\frac{1}{8}$). From the series *The Russian Ending*. Courtesy the artist and Frith Street Gallery, London and Marian Goodman Gallery, New York/Paris. **211.** Joachim Schmid, *No. 460, Rio de Janeiro, December 1996*, 1996. C-print mounted on board, 10.1 × 15 on 21 × 29.7 (4 × $5\frac{7}{8}$ on $8\frac{2}{8}$ × $11\frac{6}{8}$). From the series *Pictures from the Street.* Courtesy the artist. **212.** Thomas Ruff, *Nudes pf07*, 2001. Laserchrome and Diasec, 155 × 110 (61 × $43\frac{1}{4}$). Edition of 5. From the series *Nudes*. Galerie Nelson, Paris/Ruff. © DACS 2004. **213.** Susan Lipper, *untitled*, 1993–98. Gelatin silver print, 25.4 × 25.4 (10 × 10) From the series *trip*. Courtesy the artist. **214.** Markéta Othová, *Something I Can't Remember*, 2000. Black-and-white photograph, 110 × 160 ($43\frac{1}{4}$ × 63), edition of 5. Courtesy Markéta Othová. **215.** Torbjørn Rødland, *Island*, 2000.C-print, 110 × 140 ($43\frac{1}{4}$ × $55\frac{1}{8}$). Courtesy Galleri Wang, Oslo, Norway. **216.** Katy Grannan, *Joshi*, *Mystic Lake, Medford, MA*, 2004. C-print, 121.9 × 152.4 (48 × 60). From the series *Sugar Camp Road.* Courtesy Artemis, Greenberg, Van Doren Gallery, New York and Salon 94, New York. **217.** Vibeke Tandberg, *Line #1 – 5*, 1999. C-print, digital montage, 132 × 100 (52 × $39\frac{3}{8}$).Courtesy c/o Atle Gerhardsen, Berlin. © DACS 2004. **218.** Florian Maier-Aichen, *The Best General View*, 2007. C-print, 213.4 × 178.4 (84 × 70 ¼). Courtesy the artist and Blum & Poe, Los Angeles. **219.** Sherrie Levine, *After Walker Evans*, 1981.Gelatin silver print, 15.9 × 12.7 (6¼ × 5), framed 37.8 × 29.5 ($14\frac{7}{8}$ × $11\frac{5}{8}$). © Sherrie Levine. Courtesy Paula Cooper Gallery, New York. ©Walker Evans Archive. The Metropolitan Museum of Art, New York. **220.** James Welling, *Crescendo B89*, 1980. Gelatin silver print mounted on archival paper, 12.1 × 9.8 ($4\frac{3}{4}$ × $3\frac{7}{16}$), mounted 35.6 × 27.9 (14 × 11). Courtesy David Zwirner, New York. **221.** Christopher Williams, *Kodak Three Point Reflection Guide, © 1968 Eastman Kodak Company, 1968. (Corn) Douglas M. Parker Studio, Glendale, California, April 17, 2003*, 2003. Dye transfer print, 40.6 × 50.8 (16 × 20), framed 74 × 81.6 × 3.8 ($29\frac{1}{8}$ × $32\frac{1}{8}$ × $1\frac{1}{2}$). © Christopher Williams. Courtesy David Zwirner, New York. **222.** Sara Van Der Beek, *Eclipse 1*, 2008. Digital C-print, 50.8 × 40.6 (20 × 16), edition of 3, and 2 artist proofs. Courtesy the artist and D 'Amelio Terras, New York. **223.** Lyle Ashton Harris, *Blow up IV (Sevilla)*, 2006. Mixed media installation, variable dimensions. MUSAC Collection, Contemporary Art Museum of Castilla and León. Courtesy the artist and CRG Gallery, New York. **224.** Isa Genzken, *Untitled*, 2006. Mixed media installation, 9 panels consisting of 28 parts, variable dimensions. Courtesy David Zwirner, New York and Galerie Daniel Bucholz, Cologne. **225.** Michael Queenland, *Bread and Balloons*, 2007. Mixed media installation, variable dimensions. Courtesy the artist and Harris Lieberman, New York. **226.** Arthur Ou, *To Preserve, To Elevate, To Cancel*, 2006. Mixed media installation, variable dimensions. Courtesy the artist and Hudson Franklin, New York. **227.** Walead Beshty, *3 Sided Picture (Magenta/Red/Blue), December 23, 2006, Los Angeles, CA, Kodak, Supra*, 2007. Colour photographic paper, 198.1 × 127 (78 × 50). Collection of FRAC Nord-Pas de Calais, Dunkirk. **228.** Zoe Leonard, *TV Wheelbarrow*, from the series *Analogue*, 2001/2006. Dye transfer print, 50 × 40 ($19\frac{11}{16}$ × $15\frac{3}{4}$), edition of 6. Courtesy Galerie Gisela Capitain, Cologne. **229.** An-My Lê, *29 Palms: Infantry Platoon Retreat*, 2003–04. Gelatin silver print, 67.3 × 96.5 ($26\frac{1}{2}$ ×

38). Courtesy Murray Guy, New York **230.** Anne Collier, *8 × 10 (Blue Sky)*, 2008. C-print, 75.6 × 88.3 (29¾ × 34¾), edition of 5, and 2 artist proofs. Courtesy the artist and Marc Foxx, Los Angeles. Anne Collier, *8 × 10 (Grey Sky)*, 2008. C-print, 75.6 × 88.3 (29¾ × 34¾), edition of 5, and 2 artist proofs. Courtesy the artist and Marc Foxx, Los Angeles **231.** Liz Deschenes, *Moiré #2*, 2007. UV-laminated chromogenic print, 137.2 × 101.6 (54 × 40), framed 152.4 × 116.8 (60 × 46). Courtesy Miguel Abreu Gallery, New York. **232.** Eileen Quinlan, *Yellow Goya*, 2007. UV-laminated chromogenic print mounted on Sintra, 101.6 × 76.2 (40 × 30), edition of 5. Courtesy the artist and Miguel Abreu Gallery, New York. **233.** Jessica Eaton, *cfaal 109*, from the series *Cubes for Albers and Lewitt*, 2011. Pigment print, 101.6 × 127 (40 × 50). Courtesy the artist. **234.** Carter Mull, *Connection*, 2011 (detail). Offset ink, mylar, 1800 unique stills, 40.6 × 22.9 (16 × 9) each. Installation view, 'The Day's Specific Dreams', May 6–June 11, 2011. Courtesy the artist. **235.** Shannon Ebner, *Agitate*, 2010. Installation, 4C-prints, each 160 × 121.9 (63 × 48). Courtesy the artist and LAXART. **236.** Sharon Ya'ari, *Untitled* from *500m Radius*, 2006. Archival pigment print, 42 × 34 (16⁹⁄₁₆ × 13⅜). Courtesy the artist and Sommer Contemporary Art, Tel Aviv. **237.** Jason Evans, *Untitled from NYLPT*, 2005–12. APP, music CD and multiple print formats; various dimensions. Courtesy the artist. **238.** Tim Barber, *Untitled (Cloud)*, 2003. Colour photograph, variable dimensions. Courtesy Tim Barber. **239.** Viviane Sassen, *Mimosa*, from the series *Flamboya*, 2007. C-print, 150 × 120 (59¹⁄₁₆ × 47¼), edition of 3 and 2AP; and 125 × 100 (49³⁄₁₆ × 39⅜), edition of 5 and 2 AP. Courtesy the artist and Stevenson, Cape Town and Johannesburg. **240.** Rinko Kawauchi, *Untitled*, from the series *AILA*, 2004.C-print, variable dimensions.© Rinko Kawauchi. Courtesy the artist and FOIL Gallery, Tokyo. **241.** Lucas Blalock, *Both Chairs in CW's Living Room*, 2012. C-print, 134.3 × 106.4 (52⅞ × 41⅞). Courtesy the artist and Ramiken Crucible, New York. **242.** Kate Steciw, *Apply, Applications, Auto,Automotive, Burn, Cancer, Copper, Diameter, Fire, Flame, Frame, Metal, Mayhem, Pipe, Red, Roiling, Rolling, Safe, Safety, Solid, Strip, Tape, Trap, Trappings*, 2012. C-print, custom oak frame, chrome decorative vents, self-adhesive safety tread, frame decals, 152.4 × 111.8 (60 × 44). Courtesy the artist; photograph Mark Woods. **243.** Artie Vierkant, *Image Objects*, 2011–. UV prints on sintra, altered documentation images, dimensions not fixed. Courtesy the artist. **244.** Anne de Vries, *Steps of Recursion*, 2011. Documentation photo sculpture, 130 × 30 (51¼ × 11¾). Courtesy the artist.

责任编辑　郑幼幼
文字编辑　张海钢
责任校对　高余朵
责任印制　朱圣学
书籍设计　郑幼幼 & 祝羽正

浙 江 省 版 权 局
著作权合同登记章
图字：11-2013-102 号

图书在版编目（CIP）数据

作为当代艺术的照片：第三版 /（英）夏洛特·科顿（Charlotte Cotton）著；陆汉臻，毛卫东，黄月译. --杭州：浙江摄影出版社，2018.6
(艺术世界丛书)
ISBN 978-7-5514-2154-6

Ⅰ.①作… Ⅱ.①夏… ②陆… ③毛… ④黄… Ⅲ.①摄影评论—世界—现代 Ⅳ. ①J405.1

中国版本图书馆CIP数据核字（2018）第059634号

艺术世界丛书
作为当代艺术的照片（第三版）
(英) 夏洛特 · 科顿　著
陆汉臻　毛卫东　黄　月　译

全国百佳图书出版单位
浙江摄影出版社出版发行
地址：杭州市体育场路347号
邮编：310006
网址：www.photo.zjcb.com
电话：0571-85151350
传真：0571-85159574
制版：杭州立飞图文有限公司
印刷：浙江经纬印业有限公司
开本：889mm × 1194mm　1/32
印张：9.125
2018年6月第1版　　2018年6月第1次印刷
ISBN：978-7-5514-2154-6
定价：98.00元

鸣谢：本书全部用纸由蓝碧源特纸提供
封面：蓝碧源特纸/问纸系列/欧纯莱妮纹230gsm/米色
环衬：蓝碧源特纸/问纸系列/欧纯棉纸140gsm/米色
内页：蓝碧源特纸/问纸系列/新伯爵115gsm/靓白
所有纸张均为可回收、可循环使用的绿色环保纸张，获SGS、FSC-COC认证。